그해겨울 그리고 봄

지은이 박청래
발 행 2024년 03월15일
펴낸이 한건희
펴낸곳 주식회사 부크크
출판사등록 2014.07.15.(제2014-16호)
주 소 서울특별시 금천구 가산디지털1로 119 SK트윈타워 A동 305호
전 화 1670-8316
이메일 info@bookk.co.kr
ISBN 979-11-410-7662-7
www.bookk.co.kr

그해 겨울 그리고 봄

박청래 지음

차 례

프롤로그

저자는1970년 전후의 사회상과 교육 현장 및 정치적 상황이었던 부마항쟁, 광주항쟁, 6월항쟁, 서울대학생인 박종철군과 연세대학생인이한열군의사망 사건 등그리고촛불시위를 야기시킨 이명박정부의 미국산 쇠고기 수입과 박근혜 정부의 대통령 탄핵관련 다양한 사건 등을배경으로하였다.

작가는 당시에 보고 느끼고 겪었던 일들과 지인들로부터 들어왔던 이야기들을 주인공 민수와 수혜 그리고 시아 및 주변 인물의 시각을 통해 작가의 긍정적 의도와 정치적 신념 그리고 국가관에 대해 이야기 하고자 하였다. 관련 내용에는 실상과 허구의 내용을 이해를 돕기위해 구성되었다. 실제사건에대해서는 직간접적으로 관련기관의 입장이 상호 상이할 수도 있다는 점을 알려드린다.

당시 우리나라는 국제적으로 6·25전쟁 이후 급속한 산업 발전 등으로 성장을 하여 왔으나 이로인한 빈부의 차는 극심하였다. 서민들의 생활은 곤궁하고 정작 먹을거리가 없어 배고픔을 수시로 겪어야 했다. 하지만당시 집권정권은 박정희 유신독재 군사정권과 전두환 쿠데타 군사정권이었다.

권력층에 있는 그들은 자신의정권에 반기를 드는 그 누구도 용서하지 않았다. 그래도 다행인 것은 당시의 젊은 지성인들의 희생이 있었 기에 오늘 우리들은 자유 민주주의를 느끼며 살고 있다. 젊은 지성인인 그들이 독재의 억압 속에서도 희망의 싹인 저항으로 새싹인 민주주의를 틔우고 있었다. 서슬퍼런 독재정권 하에 저항하며 투쟁했던 젊은 지성인들에 대해 우리는 그들의 목숨건 투쟁을 잊어서는 안된다. 그들이 있었기에 오늘날 그들에 대해 부족한 부분에 대해 비난도 할 수 있다는 사실을 간과해서는 안된다. 그 당시에는 두 부류가 있었다. 첫째 부류에는 젊은 지성인이지만 본분은 다하지 않고 개인이익을 우선시하였던 사람들과 두 번째 부류에는 젊은 지성인으로 본분을 다하고자 저항 하였던 사람들이다. 이들간의 본분에 대한 책임과 의무에 대한 갈등으로 사랑과 이별도 있었고 갈등과 고뇌도 있었다.

추운겨울이 지나면 새봄이 찾아오듯 우리 사회도 그해 겨울 추위는 물러가고 그리고 봄인 자유 민주주의가 서서히 우리 곁에 오 고있었다. 주인공 민수는 암울 한시대에 태어나 어린시절 가난으로 고통받고 차별과 모멸감을 겪으며 살아왔다. 민수는 이러한 차별과 모멸감에서 벗어나려고 일류대인 경성대학교 법학과를 목표로 검사의 꿈을 꾸며 살아간다. 더 이상 가난으로 차별과 비인간적 대접을 받고싶지 않았다.

어린 민수는 자신을 차별하고 모멸감을 주었던 그들에게 자신 앞에 고개숙여 무릎을 꿇게 하고자 하였다. 오직 한가지 목표만 바라보며 민수는 공부에만 전념하며 때만 기다렸다. 그러나 복수할 기회를 빼앗겨 버린채 실패의 아픔을 겪었다 .방황하던 민수는 고3 담임선생님을 찾아가 진로상담을 요청한다.

재기를 꿈꾸며 담임선생님의 추천으로 초급 간부후보생으로 군대 장기 복무를 지원하였다. 민수는 특수부대 초급간부후보생 임관후 시위 진압 훈련을 강도 높게 받았다. 민수부대는 시위 진압부대로 민수는 진압군이 되어 시위대를 진압하였다. 당시 우리 사회에서는 암울하고 가난하였으며 심한 격동기 속에 여러 사건이 일어나고 있었다. 유신독재, 부마항쟁, 대통령피살,

군사쿠데타, 광주민중항쟁 ,6월항쟁,박종철과 이한열의죽음 그리고 김대중구속과 김대중과 김영삼과 김종필의 3김의 대선 단일화실패 등으로 민주주의는 후퇴하였고 다시금 암흑의 독재정권 하에서 사회적, 정치적으로 심한 몸살을 겪고 있었다.

 민수부대는 시위 진압 부대로 진압 현장에서 또래대학생들과 친구이자 연인이 수혜와 마주치기도 하였다.젊은이들을 무차별 진압하면서도 마음 한편에는 고뇌와 갈등을 겪는다. 군대 복무를 마치고 민수는 법대에서사대로 전환하는 전환점을 맞게 된다. 경성대학교 사대에 진학해 공장 노동자인 젊은이들을 위해 야학을 열고, 주민계몽 등을 주도한다.

 야학에서'반딧불 독서회' 등을 통해 이념 서적을 읽고 토론 했다. 경성대학교 국어국문학과 성적우수장학생으로 졸업한 민수는 우수한 성적 덕분에 다른 사람들보다 일찍 임용고시에 합격해 고등학교 국어 교사로 교직에 몸담게 되었다.

 그러나 당시의 학교 현장은 부조리와 비리 그리고 교권이 침탈된 학교 현장이었다. 학교현장의 분위기는 민수가 그토록꿈꾸었던 곳은 아니었다. 참된교육을 할 수 없을 정도의 부정부패가 만연해 있었다. 그 중심에 무소불위의 학교관리자들이 있었다. 이처럼 교육 현장의 척박한 현 장에서 끝까지 살아남을 수 있었던 원천은 정신적 지주인 고3 담임선생님에 대한 믿음과 신뢰 덕이었다.

 그것은 교육 현장의 부정과 불의에 대항해 싸워나갈 수 있는 용기의 근원적 힘이 되었다. 점차 학교현장은학교 민주화와 참된교육 실천의장으로 변해가고 있었다. 민수는 학교 측에 비민주적 학사 운영의 시정을 요구하였다. 이후 학교 측으로부터 수업 시간에 아이들 에게 이념사상 교육했다는 이유로 경찰에 고발되어 해직의 아픔을 겪는다. 주인공 민수는 복직후에도 이를 두려워하지않고, 학교 현장의 부조리와 비리를 온몸으로 파헤치며 시정을 요구했다. 이후 학교는 조금씩 정상화되어 갔다.

민수는 젊은 지성인으로 암울했던 사회적 상황을 피하지않고 온몸으로 사회적으로는 독재와 교육현장에는부정부패에 온몸을 다바쳐 정면으로 맞섰다. 반면 사랑하는 연인이 행복한 결혼을 원했지만, 민수는 흔쾌히 수락하지 못했다.

민수는 연인에게 그이유를 말할수 없는 또 다른 아픔을 가슴 속 깊이묻고있었다. 한편 군사정권은 공안탄압과 교육현장에 개입하여 아이들에게 반공 사상교육과 군사훈련을 강요했다. 민수의 노력에 동료교사들도 부패척결에 동조하고 학교측도 더 이상 학교 민주화 과정에 대해 정상화를 반대하지 않았다.

당시 민수와 동시대를 살았던 젊은지성 대학생들은 지성인으로서 본분을 다하고자 고민하고 저항하는 부류와 개인이익을 우선시하는 교우들 간에 마찰을 겪으며 젊은이들간 사랑과 이별을 겪기도했다. 이처럼 기쁜젊은날 지성인답게 그들은 후회없는 삶을 살고자 독재에온몸으로 맞서며 저항하였다.

세월이 흐른 지금 힘들고 고뇌와 갈등으로 심한 가슴앓이를 하였던 그해 겨울의 그날을 젊은 지성인이었던 그들은 훗날 오히려 기쁜날로 기억하고 있었다. 70년대 세대였던 박정희 군사정권의 장기 독재에 대해 민중 저항이 부산과 마산에서 저항의 주체로등장하였다. 이를 신호로 박정희 정권의 통치체제가 붕괴하고 자유 민주화시대를 예고한 항쟁이 되었다. 부마항쟁은 장기 집권군사정권에대해 민중이 궐기하였던 첫 번째 역사적 항쟁이었다. 부마항쟁은 광주민중항쟁과 6월항쟁에도 영향을 주었고, 이는 대통령 피살사건인 10·26 사태를 촉발한 원인이 되었다. 이때를 틈타 전두환 신군부는 1979년 12·12군사쿠데타를 일으켰다.

쿠데타로 정권을 잡은 신군부는 이에 저항하던 광주시민에 대해 1980년 5월 광주에 계엄군을 투입 시켜 진압하고자 하였다. 이 과정에서 저항하던 광주 시민군이던 광주시민에 대해 계엄군의 무차별적인 진압과 발포로 많은 사상자가 나왔다. 당시 진압군 이었던 민수는 그때 진압으로 인한 그 처참했던 상황이 트라우마가되어 극심한 불안증과 공황장애로 인한 불면증을 평생 앓게 되었다.

전역 후 민수는 경성대학교를 입학하여 젊은 지성인으로 진압군이었던 자신의 과오에 대한 고뇌과 갈등으로 시위대가 되어 그 역할을 다하고자 하였다. 대학생이 된 민수는 지성인으로서 시위대가되어온몸으로 저항하였으며 동네 야학을 열어 젊은 노동자들을 가르쳤다.

대학 졸업 후 교직에 임용 되고 나서 척박한 교육 환경 속에서 올바른 언행과 올곧은 신념을 가지고 정년까지 나아가고자 했다. 그러나 학교 민주화와 참된교육 실천과정에서 학교 측과 교사들 간의 갈등이 심화하였다. 이로써 빚어지는 심각한 갈등은 민수의 몸과 마음을 병들게 하였지만, 고통을 감내하는 것은 오로지 민수의 몫이었다. 민수의 변함없는 소통과 설득으로 점차 학교 현장에서 학사 운영의 민주화와 참된교육 실천이 조금씩 이루어지며 긍정적변화를 보였다. 작품의 등장 인물로는 주인공인 민수와 수혜그리고 시아 및 그외 민수의 작은아버지와 어머니 그리고 숙희와 명화, 창기, 현수, 봉주와 하늘이 그리고 민수의 정신적 지주인 고3 담임선생님이 있다. 민수의 성격은 내성적이나 자존심이 강하고 집에서는 효자로 주변 동네에 알려진 인물이다. 어린 시절 선생님과 친구들로부터 가난하다는 이유만으로 차별과 따돌림 그리고 모멸감 등을 받으면서 보냈다.

이후 부당한 대우를 안 받고 복수를 하기 위해서 법대를 나와 검사하겠다는 목표를 삼았다. 전역 이후 다시금 자신의 진로에 대해 깊은 고민을 하게 되었다. 어릴적 오직 한가지 목표만 바라보고 달려 왔던 꿈이었던 법대와 고3 담임선생님의 교직에 대한 확고한 신념과 교사의 본분 그리고 아이들 사랑을 실천하였던 참된 교육에 대한 열정이 있었다.

열정에서 느껴진 참사랑과 올곧은 교육에 대한 사대에 대한 고민을 많이 하였다. 민수는 교직에 가서 자신과같은 아이들이 많을 때 자신이 그들을 돌볼 수 있다면 그 역시 개인적 검사 명예 못지않은 중요한 역할이라고 생각하였다. 이로써 민수는 어린 시절부터 목표던 법대 검사에서 사대 선생님으로 진로를 선회하게 되었다.

이처럼 민수는 시대의 아픔을 피하지 않고 온몸으로 부딪치는 인물이었다. 고3 담임선생님은 주인공 민수의 정신적 지주로 민수학교에 재직하였고 민수졸업 이후에 대한항공858기 국제항공기 보안 책임자로 근무 중 테러범의 항공기 폭파로 산화하였다. 민수의 법대에서 사대로 전환하게 한 장본인이기도 하다. 교직에 대한 투철한 정신과 아이들 앞에서 당당함을 강조하시고 불의에 대해 절대 고개를 숙여서는안되며 아닌것은아니라고 떳떳하게 말할수 있어야 한다고하였다.

민수의 죽마고우로 수혜는 주인공 민수와 어린 시절부터친한 친구로 같은반과 같은동네에 살았다. 수혜부모님은아버지가 경찰관련 고위급이라는 사실과 어머니는 당시에 신여성이라는 이대 메이퀸 출신이라는 사실정도 알고있다. 수혜는 책을 좋아하고 부모님의 성격과 외모를 많이 닮았다.

수혜 성품으로는 정의로우며, 카리스마가 있고 활달하며 공부도 잘하고 똑똑하다. 학급에서는 반장 또는 부반장으로 담임의 일을 많이 도와주면서 선생님들께서도 많이 이뻐해 준다. 친구간에 잘못 한 친구에게는 선생님보다 더 무섭게 대하여 힘없는 친구와 민수를 많이 도와줬다. 이후 민수를 도와 야학을 함께 운영한 친구이자 교육동료이다. 민수를 좋아하였으나 부모님께서 소개 한 사람과 결혼한다. 민수에 대한 애틋함을 항상 마음속에 간직하고 있다.

시아는 민수와는 야학교 제자이자 교육동료로서 야학관련하여 모든 일을 도맡아 하고 아이들을 열성적으로 가르치는 선생님이다. 야학에서 고등과정을 마치고 대입 과정을 거쳐 대학에서 수학교육을 전공한 인물이다.주인공 민수를 도와 모든 야학교를 책임지고 후배들을위해 헌신하는 선생님으로 알려져 있다.

주인공 민수를 좋아하지만, 주인공 민수가 적극적으로 받아들일 수 없는 상황에서 야학 동료 선생님과 결혼하였다. 주인공 민수가 가장 아끼는 제자이자 교육동료로 신뢰하고 믿는 인물이며 민수에 대한 깊은 존경과 사랑함을 간직하고 있는 인물이다. 영재는 민수의 대학 친구이자 군대 동기로 모든 속마음까지 털어놓는 사이지만 민수의군사독재에 대한 저항과 투쟁 그리고 야학지원에 대한부정적 사고를 하고 있다. 이념써클 등에 대해서는 불필요한 공부로 치부한다. 군대에서 끊임없이 정신교육을 받은 동기로 쉽게 사상적으로 자유롭지 못하지만 민수를 통해 많이 변화되어 간다.

또한 민수의 끈질긴 설득과 소통으로 결국 민수를 이해하면서 도와주게 된다. 그리고 민수의 작은 아버지와 어머니인 용만과 그의아내 여옥이 서로 의지하며 투쟁하는 용감하고 선량한 시민이다. 용만은 특히 부마항쟁의 시위주동자로 그의아내 여옥의 염려와 격려속에 민주주의를 위한 시위에 함께 참여하기도 한다. 용만은 시위 주동자로 경찰에 체포당하고 고문과 취조를 당하고 풀려나기를 반복한다. 하지만 다시 시위참여로 삼청교육대와 부산형제복지원등에 강제 입소하기도 하였다.

이후 다시 탈출하는 등 우여곡절 끝에 다시금 광주로 이사 한다. 이들은 광주항쟁 시위에도 가담하게 되는 등 민주주의를 위해 투쟁하는 모범시민이다. 민수 주변인물로 봉주와 하늘이는 민수가 근무하는 학교의 학생회장과 부회장으로 공부를 잘 하며 성격이 활달하고 머리도 똑똑하다.

도서관에서 민주주의 관련 서적을 보고 학생들도 학교 민주주의를 실천할 필요가 있다고하여 방법을 찾던중 민수가 업무부서를 학생과로 옮기면 서 적극적인 학생의학교 참여를 하게하는 계기를 만들어준다.

교사와 학부모로부터 학생들의 학교 운영에 참여하는 것에 대한 부정적 생각을 긍정적으로 바꾸는계기가되어 학교로부터 학생 학사운영 참여에 대해 긍정적 인식을 갖게 하였다. 이를 계기로 봉주와 하늘이는학교 민주화에도 일익을 담당하게되는 역할을 하게 되어 기쁜 마음으로 학교생활을 하게된다.

창기는 성격이 난폭하고 남을 괴롭히는 성격으로 민수를 어릴적에는 잘괴롭히고 못살게 하였다. 이후 민수가 성적이 상위권이되면서 괴롭히지 못하였다. 김선생님은 민수학교의3명의 조합원 중 한 사람으로 조합가입이 가장 오래된선생님이다. 학교 및 학사민주화에 대해서는 별다른 큰 뜻은 가지고 있지 않다.

숙희는 똑똑하고 사려 깊으며자신과 함께 다수의 이익에대해 적극적으로 나서서 함 께 공유하고자 하는 인물로 매사 주변 사람은 챙기나 자신은 돌보지못하는 희생형인물이다. 명화는 숙희의죽마고우로 항상 숙희와 함께하며 그를 친한 친구로서 배려하고 속마음을 유일하게 말할 수 있는 친구이다.

숙희의 희생을 뒤에서 마음 아파하는 인정이 많은 인물이다. 민수가 졸업하고 대학을 실패 후 방황하던 그해 겨울은 암울하고 춥고 매서웠다. 박정희 유신정권은부마항쟁으로 무너졌다. 그뒤를 전두환 쿠데타정권 이 다시 재집권하였다. 이에 반발하는 광주시민에 대해 총칼로 무차별 인간사냥으로 살육하였다.

이후 6월항쟁 그리고 박종철고문 사망사건, 이한열 최루탄 직격 사망사건 등으로 사회가 어수선하였다. 그러나 새봄은 우리에게 다가오고 있었다. 대학생들과 시민들은 전두환 호헌 철폐와 독재 타도의 외침이 점차 전국으로 퍼져 나가면서 전두환

정권은 물러났다. 이후 노태우 정권의 6·29선언으로 대통령 직 선제와 자유 민주주의가 그해 겨울 그리고 봄에 희망의 싹을 틔우고 있었다. 이 책은 이 사회의 자유 민주주의와 교육 현장 의민주화를 위해 헌신했던 이들과 아직도 현장에서 수고와 고 통을 감내하고 있는 모든 이들에게 바치고자 한다.

제 01장 그해 겨울

새해 2월의 날씨는 춥고 매서웠다. 아침부터 잔뜩 찌푸린 잿빛 하늘에 금방이라도 눈이 내릴 것 같은 기세이다. 민수의 교직퇴 임을 맞아 교단일기의 출판기념일과 함께 출판사를 동시에 열 었다. 교단일기인 "그해 겨울 그리고 봄"의 출판을 마친 기쁜날 이다. 새로운 출판 기획으로 교육 현장의 부조리에 맞서 싸우는 교단일기와 교육현장 사례인 미래의 교육을 지향하는 전문가 대담의 챕터를 실었다.

여러 지인이 축하해 주었으며 특히, 이날을 축하해 주기 위해 찾아온 반가운 손님이 있었다. 민수의 어릴 적 친구이자 교육 동료인 수혜와 야학교 출신 제자이자 야학선생님 시아가 와주 었다.

지난 삼십년전 흐릿한 세월의 기억 속에 서로 간의 애틋함이 묻어 있었다. 이제는 새 출발점에서 각자의 삶을 영위하고 있 다. 민수는 퇴임식에 고별사를 자신에게 대신하였다. "민수야! 그 동안 수고 많이 했지! 고생했어! 그리고 그간 잘 이겨내 줘서 고맙다!"라며 자신에게 말을 하였다. 민수는 진심으로 자신에게 고마움을 전하고 싶었다. 비록 동료들로부터 퇴임식날까지 한마디도 듣지 못한 말이었다. 민수의 살아온 나날들이 머릿속을 스치면 어린시절의가난했던 삶의 과정이 한 편의 영화처럼 스쳐 지나갔다. 민수는 어린시절 너무 가난한 집이 싫었다. 하루에 한 끼 제대로 먹기도 힘들었다. 부모님 두분이 열심히일하셨지만, 먹고사는 문제는 쉽게 해결되지 않았다.

배고플 때 식량이 없으면 밀기울죽을 먹기도 하고 때로는 옥수수죽도 먹었다. 민수의 생일 때 만큼은 팥칼국수를 어머니께서 특별히 해 주셨다. 어린 마음에도 형들에게 미안한 생각이 들었다. 이렇듯 배고픔은 무엇이든 먹을수 있는 것은 다 먹게도 하였다.

민수 동네에는 카스텔라 만드는 공장이 있었다. 카스텔라처럼 생긴 틀에 계란과 밀가루를 섞어 붓고 그 틀을, 연탄과 석탄 등으로 열을 가해주는 화로가마속에넣고 기다리면 노릇 노릇한 빵이 부풀어 올라 카스텔라가 만들어진다. 이때 잘못 만들어진 빵은 카스텔라 공장 뒤쪽 연탄재 버리는곳에 모두 버리게된다.

그러면 동네 아이들이 버린 빵조각을 주워서 탄 것도 그대로 맛있게 먹는다. 서로가 먹다가 얼굴을 쳐다 보면 검게 탄 빵조각이 숯처럼 되어 입주변과 얼굴 등에 묻어 숯으로 얼굴을 치장한 것 같았다.

'둘리의 여행'에 나오는'마이클' 같았다. 숯처럼 탄 빵을 먹으며 서로 얼굴을 쳐다 보면서 한참을 웃기도한다. 그날 운이 좋으면 금반지나 은반지를 얻을 때도있다. 무슨 소리인가 하겠지만 빵만들때여 여성노동자들이 가락지를 끼고 빵 반죽을 하는데 자신도 모르게 반죽 속에 묻혀 못 찾고 있다가 완성된 빵

속에 들어 있기도 하였다. 물론 타버리거나 버린 빵 속에 있을 수도 있었다. 아이들이 그것을 먹다 이빨이 아파서 보면 반지가 들어 있다. 누군가 반지를 발견하면 모두 모여 앉자, 이빨로 한 번씩 물어보 기도 하였다. 그 시대를 아는 사람들은 이해가 되는 이야기일 것으로 생각한다.

당시에는 이처럼 가족들은 먹고 살기 위해 처참할 정도의 빈곤을 겪어야 했다. 가난했으니, 민수의 옷과 외 모는 말할 나위 없었다.

민수는 담임선생님 추천으로 특수부대 초급 간부후보생인 직업군인으로 군복무를 시작한다. 하지만 당시상황은 사회적,경제적에서 가난하고 암울했다. 유신정권과 쿠데타 정권이 들어서면서 자신의 정권에 반기를 드는사람들의 목숨을거리낌 없이 빼앗아 갔다.

민수 또한 어쩔 수 없는 군대 복무로 인해 진압군으로 차출되어 투입되었다. 전역 후 대학 시절에는 독재정권에 온몸으로 저항하였고, 야학교를 열어 젊은 공장노동자와 주민계몽도 하였다. 교단생활을 시작해서는 부정과 부패로 만연된 교육 현장에 저항하여 싸우기 위해 혼자 보다 동료들이 함께 하기위해 조합 창립도 하였다.

이런사고, 사건들은 민수의오랜 기억속에 끊어지고 빛바랜 필름처럼 눈앞을 스치며 지나갔다. 우리의 젊은 지성인들은 독재에 대한 저항과 자유 민주주의에 대한 갈망과 지성인 본분을 위해 올곧은 신념을 가지고 행동하고자 하였다. 덕분에 오늘날 우리는 자유를 만끽 하고 있다. 군사 독재정권의 억압과 독재에 맞서 투쟁했던 우리 마음속의 봄이 지나가고있었다. 춥고, 매서운 추위였던 그해겨울, 어린민수는 가난과 차별속에서 자라며 무엇을 꿈꿨을까? 그의 이야기는 우리의 미래를 밝히는 빛과 같다.

민수는 경성대학교 법학과를 목표로 살아갔다. 그러나 그는 더 이상 가난과 차별을 받고 싶지 않았다. 자신을 모욕하고 차별한 그들에게 자신의 다리 밑에 고개를 숙이게 하고자 했다. 그리고 그 결심은 그를 특수부대지원을 하게 하였다.

초급 간부후보생으로 임관한 민수 는 시위진압현장에서 또래 대학생들과 마주치게 된다.그들을 무차별 진압하면서도 마음 한편에는 친구이자 동갑내기이며 같은 젊은 지성인이었던 그들의 희생을 보면서 민수는 미안함과 죄책감으로 고뇌와 갈등을 겪는다.

격동하는 시대속에 유신독재와 군사쿠데타, 그리고 광주항쟁, 6월 민중항쟁으로 그해 겨울은 점차 가고새봄이 오고 있었다. 호헌철폐와 독재타도 구호를 외치는 젊은 지성인들의 시위는 전국으로 퍼져 나가자 전두환은 물러나고 노태우의 6·29선언과 올림픽 등이 우리들을 새로운 희망의 봄으로 인도하고 있었다. 민수는이 모든 것을 목격하며자신의 올바른 신념을 지켜나갔다.

그해 겨울 억압, 폭압, 투옥, 고문 등으로 점철했던 우리 마음의 그해겨울의 추위와 고통 속에서도, 그리고봄은 항상 우리에게 희망을 선사 했다. 우리는 젊은 지성인들의 저항을 기억해야 한다. 오늘날의 자유는 그들의 희생 덕분이기 때문이다. 민수의 그해겨울그리고봄이찾아오고있었다. 추운바람과 봄의따뜻한 햇살을 함께느껴보게되었다. 1970년대의 대한민국은 다양한 사회적 문제와 변화를 겪게 되었다.당시 인구 증가로 가족계획이 실시되었으며 1950년대이후 베이비붐으로 인해 인구 증가율이 급격히 상승했다. 이로 인해 빈약한 자원과 후진적인 산업구조로 경제성장의 어려움이 발생했다. 정부는 인구 증가율을 낮추지 않는한 경제발전이 어렵다고 판단하여 가족 계획을 도입했다.

이를 통해 인구 증가율을 조절하려했다. 환경문제는 산업화로 인한 공장 폐수와 산업 폐기물로 인해 하천과 연안이 오염되는 등 환경 문제가 심각했다. 또한 자동차 배기가스와 난방으로 인한 대기 오염도 발생했다. 정치적 갈등과 분열은 한반도분단으로인한 남과 북의 대립과 갈등이 지속되었다.

냉전의 영향으로 남과 북은 서로에 대한 증오 정치를 지속했다. 교육현장의 문제로는 부조리, 비리, 교권침탈 등이 만연했으며 이에 따라 교육환경이 악화하였다. 이러한 문제들은 당시의 사회적 상황을 형성하고, 젊은 세대들의 저항과 변화를 이끌었다.

한국산업의 고도성장과 구조조정으로1970년대 초반부터 중반까지 한국은 고도로 발전했다. 경공업에서 중화학 공업으로 산업구조 조정이 진행 되었고 경기하강과위기를 겪기도 했다. 이는 경공업 위주의 수출이 한계에 부딪히면서 회사의 부도가 유발되고 부마항쟁의 기폭제가 되었다.

이러한 문제들은 당시의 사회적 상황을 형성하고, 젊은세대들의 저항과 변화를 이끌어 내었다. 독재에 저항하고 민주주의와 자유를 찾는과정에서 봄 의 희망은 우리들 곁을 지켜주었다. 1

970년 전후, 그 어두운 시대에 젊은이들은 용기와 열정으로 자유민주주의를 향한 길로 걸어갔다.

제 02장 안중무인

민수의 기억은 어린 시절 자리 배치로인한다툼때로되돌아 가 있었다. "내일부터 자리를 오는 순서대로 앉기로 한다!" 라며선생님은 말씀하셨다. 다음날 민수는 일찍와서 선생님 책상 앞에 앉을 수 있었다. 잠시 화장실을 갔다 온 사이 민수 가방이 교실 바닥에 내동댕이 쳐있었다.

민수를 괴롭히던 창기의 가방이 있었다. 순간 민수는 창기 얼굴을 냅다 들이박았다. 창기코에서 코피가나오면서 서로 뒹굴며 주먹질을 하였다. 이때 선생님이 교실로 들어오셨다.

"뭐 하는 짓이야! 창기! 민수! 빨리 일어나" 선생님은 다짜고짜 민수 뺨을 후려치며 호통쳤다. 민수는 창기가 먼저 잘못 했는데 맞아서 억울했다.하지만 어쩔 수 없었다. 이렇듯 친구 간 다툼이 나면 선생님은 민수가 잘못한 걸로 되어 있다. 가난하다는 이유만으로!

다시 시간이 흘러 국민학교 졸업식 날이 되었다. "민수웡!, 우리 중학교에 가서 친하게 지내자!"창기는 의미심장한 말로 민수에게 말을 걸었다. "끝나고 이따 화장실로 와! 뭐 좀 줄 게 있어!"하고 창기는 민수에게 말했다. 졸업식이 끝나고 약속 한 화장실로 갔다.

창기와 아이들은 다짜고짜 민수를 화장실 안으로 밀어 넣었다. 그리고 밖에서 문을 잠그고 양동이에 물을 채워 민수에게 물벼락을 주고 그들끼리 낄낄거리며 웃으며 가버렸다. 고리로 잠겨진 문은 열려고 해도 열리지 않았고 문을 두들겨도 아무도 오는 사람은 없었다. 민수는 두려움과 분노 그리고 그 좁은 공간에서 느끼는 답답함과 공포심은 민수의 호흡을 방해하였다. "아!, 죽을것같아!"민수는 외마디를 소리를 하며 정신을잃었다.

다음 날 아침이 되어 창문 사이로 비추는 햇살 한가닥이 민수의 얼굴을 비쳤다. 민수는 그 한 줄기 햇살의 눈부심으로 정신을 차릴수 있었다. 어제부터 한끼도 못먹어 배도고프고 물 세례로 온몸이 춥고 힘이 빠졌다. 민수는 있는 힘을 다해 화장실 문을 두들겼다. "문 열어주세요!" 아무도 없어요!"라고 하였으나 기운이빠져주저 앉아버렸다.

아침일과 시간이 되자 학교 일을 도와 주고 있는 소사 아저씨가 교내순찰 중 무슨 소리에 문을 열고 보았다. 아저씨는 화장실 안에서 나는 소리에 놀라 문을 열어주었다. 화장실 안에서 탈진된 민수를 발견하였다. "거기서 뭐 하고 있니?" 아저씨는 놀라 물었으나 민수는 기력이 없어 말조차 할 수 없었다.

민수는 소사 아저씨 도움으로 화장실에서 벗어날 수 있었다. 하지만 졸업식이라 부모님 졸라 새로 산 새 옷과 새 신발은 물벼락을 맞아 마음의 슬픔까지 더해져 2월의 날씨에도 더욱 춥게 느껴졌다. 민수는 온몸이 엉망이 되어 집에 돌아왔다.

민수는 집으로 돌아오면서 가난으로차별받고 멸시받으며 모멸감을 주었던 이들에게 반드시 경성대 법대에 들어가 검사가 되겠다고 다짐했다. "내 반드시 검사가 되어 저들을 내 발밑에 고개 숙여 무릎을 꿇게 할 것이야!"라며 두 주먹을 불끈 쥐었다.

민수는 어렵게 중학교에 입학했다. 당시 일류고인 경성고 진학을 목표로 공부에만 전념하였다. 1학년 1학기성적은 66명 중50등이었다. 기초가 부족하여 나온 결과였다. 실망하였지만 다시금 기초부터 차근차근 공부하였다. 방학때는 학교교탁에서 자며 공부에 열중하였다. 2학년 학기말 성적은7등으로 상승했다 민수는 자신감을 느끼고 마지막 남은 한 학년 공부에 매진했다.

마침내 3학년 2학기말에1등을 하면서 명문고인 경성고를지원할수 있었다. 그러나 가정형편은 조금도 좋아지지못했다. 결국 부모님은 집안 사정으로 학교진학이 어렵다고 하였다. 대신 장학금을 주는 학교에 갈 수 있으면 가라고 하시면서 미안해하셨다. 결국 민수는 현재 고등학교를 장학생으로 입학하여 장학금을 1년간 받고 다니기로 하였다. 민수 마음 한편에는경성대를 가려면 반드시경성고를 가야유리하다고 생각했다. 하지만 그렇지못한 가정형편을 원망하였다.

중학교를 졸업하고 고등학교는 같은 재단인 고등학교에 장학금을 받고 다니기로 하였다. 수혜는 공부를 잘해고 집안경제력도 있어 경성고에 갈 수 있었으나 민수가 못가게 되자 같이 학교를 다니자고 부모님 만류에도 민수가 가게된 고등학교에 같이 다니기로 하였다. 민수는 수혜에게 미안했다

민수가 고등학교 1학년 때 사회 분위기는 매우 혼란기였다. 군부정권은 비상계엄령을 선포하고 모든 자유를 박탈하였다. 명분은 사회부조리의척결차원이라고 하였지만 그것은 내세울 명분

이 없으니 만들어 낸 이유였다. 정부 주도로 폭력배 및 부랑자들을 끌고 갔다. 관련 기관들은 실적을 위해 무고한 사람까지 끌고 가기도 하였다. 소위국가에 의한 폭력으로 부랑인 수용시설인 부산 형제복지원에 보내졌다. 여기서는 알려진것이외에도 수용자에 대한 감금, 폭행, 학대, 성폭행, 사망등 자국민에 대한 국가폭력및 학살사건이 있었다.

형제복지원은 국가 지원금을 받고 운영하였으며, 원장은 사회정화사업 공로로 훈장까지 받았다. 하지만 여 기서 십여년간 오백여명의 사망자가 발생한 것은 진실이었지만 공공연하게 은폐되었다. 이렇듯 개인적 폭력과 국가차원의 폭력도 자행되었다. 이러한 분위기에 경성고를 못간 자괴감이 들면서 자신도 모르게 학교폭력써클에가입되어있었다.

1학년 1학기 말에 민수는 학교 폭력 관련 사건에 연루되어 경찰서에 고발되었다. 경찰서에서는 고발된 학교폭력 관련 학생들을 경찰서로 연행하겠다고 하였다. 다행히 학교 측에서 자체적으로 징계할테니 선처를 부탁하여 경찰서 연행은 간신히 모면하게 되었다.

학교에서는 징계위원회를 열어 폭력에 주동자와 적극 개입한 아이들은 3개월 유기정학의 징계를 받았다. 반면 민수 는 폭력 개입 정도가 경미하고 폭력을 말려주었던 일과병원까지 데려다 준 것으로 교내봉사 3주를받았다.

당시에는 자칫 사회폭력 관련 정화사업으로 형제복지원이나 삼청교육대에 끌려가서 집과 학교에도 못 오는 경우가 다수 있었다. 민수도 그 상황에서 폭행 된 아이를 방치하였거나 병원으로 구조 행동이 없었다면 어려운 상황이 될 수도 있었다. 다행히 길을 가던 수혜가 나서서 일처리를 하여준 덕에 이정도로 끝날 수있었 다. 나중 밝혀진 사실은 수혜 부모님이 경찰 고위 관계자라 수혜의 부탁으로 민수를 형제 복지원 등에 가지 않게 선처한 사건이었다.

 이후 민수는 정신을 차리고 등한시했던 성적을 올리려고 사력을 다해 공부에 온힘을 쏟았다. 민수가 몸담았던 폭력 써클은 민수 또한 사회의 어둠 속에서 자신의 힘든 상황에 대한 분노를 학폭으로 대신하려고 하였던 것 같았다. 지난 시간의 어둠과 갈등에서 벗어나, 민수는 자신의 미래를 다짐하고 새로운 시작을 위해 노력 하였다.

 이로써 민수에게는 더 나은 미래를 열어갈 기회를 친구인 수혜덕분에 얻게 되었다. 시간이 흘러 고등학교 3학년이 되었다. 처음 대입 관련 전국 단위 모의고사를 보았다. 모의고사 석차가 교내에서는 1%이고 전국에서는 2% 이내였다. 전국 2%이내면 일류대인 경성대 법대에 갈수 있는 성적이었다. 민수 보다 앞선 순위에는 수혜도 있었다. 졸업을 앞두고 대입전형이 발표되었다.

 민수는 경성대 법대에 소신껏 접수하고 그간의 긴장으로 집으로와서 깊은 잠에 빠졌다. 이후 대입 전기전형의 대학별 합격자 발표가 나왔다. 민수도 경성대학교로 가서 벽보에 있는 합격자 명단에서'이민수'이름을 찾았으나 민수이름은 없었다. 공중전화박스에가서 학교에 재차 문의하였으나 합격자 명단에 없다고 하였다.

민수는 순간 정신이 아득하고 혼미함을 느끼며 숨을 쉴 수가 없었다. 그리고 그 자리에서 그만 정신을 잃었다. 스트레스와 공중 전화박스의 좁은 공간으로 유발된증상이었다. 민수는 초등학교 졸업식날 화장실 감금사건으로 얻게 된 폐쇄공포증을 동반한 공황장애를 앓고 있었다.

공황장애는 민수를 평생을 괴롭혔다. 대학입학에 실패한 민수는 한동안 집밖으로 나오지 않았다. 마치 누에가 성충이 되어서도 누에고치를 빠져 나오려고 하지 않는 것처럼! 부모님이 걱정을 많이 하신 것을 잘 알고 있다.

"민수야!, 그래도 밖에 바람이라도 쐬고 오면 기분이 좋아질 텐데‥"라며 말씀 하셨다, 민수는 움직일 기력도 남아 있지 않았다. 몇주가 지나서 민수는비로소 정신을 차렸다. 그리고 앞으로의 진로에 대해 고3 담임선생님에게 상담하려 모교로 갔다.

선생님은 유난히 민수를 이뻐하며 잘 챙겨주셨다. "선생님! 안녕하세요! 민수예요!"라며 선생님께 인사드렸다. 민수는 대입에 실패하고 한동안 심한 방황을 하였다. 선생님은 민수성격을 잘 알고 계셨다. 내성적이지만 성실하고 공부도 잘하며 목표를 정하면 절대 포기하지 않는 성격이었다. 그랬기에 민수가 대학에 실패한 것에 대해 안타까워하였다.

"그래, 민수! 어쩐 일이야"라며 민수를 맞이했다. "선생님과 진로상담을 받았으며 하고요!"라며 민수는 말했다. "그래?, 한번 말해봐라! 뭐가 문제가 되는거야?"라며 민수에게 물었다. "사실 대학 떨어지고 재수는 가정 형편상 할 수 없어서요! 그래서, 군대도 가야하고 공부 시간과 등록금 마련을 위한 길이 없나 하고요!"라면 민수가 말했다. 그래! 알았다고 하시면 재차 물으셨다. "그래!, 나중 공부해서 무슨 학과를 생각하고 있니?"라며 선생님이 민수에게 물었다. "실은, 경성대학교 법학과"에 다시 도전하고 싶어요! "선생님은 한참 민수를 쳐다보며 되물었다.

"민수야!, 법대 가서 무엇을 할 생각이니?" 하자 민수는"네!, 사법고시로 검사가 되고 싶어요!"라며 민수는 말씀드렸다. 선생님은 한참을 생각하시더니 되물었다. "선생님이 볼 때는 민수가 사대에 가서 교직을 전공하는 것도 잘 맞을 것 같은데 한번 생각해 봤니?" 하고 민수의 의중을 물어보셨다.

"선생님!, 저는법대에 가서 검사가 되고 싶어요!, 검사가 돼 서 아무도 나를 차별하고, 모멸감을 줄 수 없는 사람이 되고 싶어요!, 그래서 사람답게 살고 싶어요!"라고 민수는 솔직히 말씀드렸다. 이어서 민수는 말했다. "교사는 검사와 같이 권력하고는 무관 하잖아요?"하고 자기 생각을 말씀 드렸다. 선생님은 한참 민수를 쳐다보며 생각에 잠기셨다.

이윽고 선생님은 다음과 같이 민수에게 말씀하셨다. 민수야! 네마음은 잘 알고 있다"라고 말씀하시면서 민수를 쳐다보았다. "그래, 검사 좋지, 사람들이 그 앞에서 고개숙이고 함부로 하지 못하게 하는 좋은 직업인 것은 맞다!"하며 이어서 말씀하셨다.

"그런데 검사는 개인의 명예이지만 한 사람의 삶을 범죄자를 만드는데 모든 역량을 사용하는 사람이야! 하지만, 교사는 아이들부터 존경받고 그들이 꾸는 꿈을 키워줄 수 있지!"지금 민수처럼 성장기 청소년기의 아이들에게 희망과 용기 그리고 자신의 진로를 스스로 바꿀 힘도 줄 수 있단다"라고 말씀 하였다.

"한쪽은 그 사람의 삶을 송두리째 빼앗아 피폐하게 하지만, 다른 한쪽은 많은 사람에게 삶의 방향과 희망 그리고 용기를 줄 수도 있다고 볼 수 있지!"라고 하셨다. 어쨌든 "잘 생각해서 나중 진로를 결정할 때, 어느 쪽이 민수에게 좋은지 알게 될 때가 올 거야"라며 나중 최종결정을 하라고 하셨다.

그리고 재수를 할 수 없는 형편의 민수에게 초급간부후보생인 직업군인을 추천하여 주시고 추천서도 함께 써주었다. 민수는 감사 말씀드리고 나중 임관하면 한번 찾아 뵙겠다고하며 그날 바로 병무청에 장기 복무 지원서를 제출하였다. 민수의 고3 담임선생님은 민수의 모든 생활에서 정신적 지주역할을 하였다.

민수가 힘들고 포기하고 싶을 때 힘을 낼 수 있는 용기를 주신 분이었다. 하지만 대한항공 858기 공중폭파 사건으로, 선생님은 산화하셨다. 당시 상황으로는 탑승객과 승무원 115명이 전원 사망한 사건으로 이때 선생님도 함께 돌아가셨다고 한다.

민수가 임관하면 한번 담임선생님을 찾아뵙겠다고 하였으나 약속을 지키지못했다. 죄송한 마음과 함께 시간을 내어 선생님의 묘소에 찾아갔다. 묘비 앞에서 민수는 그간 선생님의 말씀에 감사하며 편히 쉬시기를 진심으로 바랐다.

제 03장 비망록

민수는 그해 3월에 입대하여 소정의 훈련을 마치고 초급간부 임관 후 직업군인으로서 복무를 시작하였다. 민수가 입대 당시의 정치·경제·사회는 암울한 시기였다. 당시 사건으로는 1979년

10·26 이전까지박정희의유신정권, 1979년 10월부마항쟁, 1979년 10·26 박정희 대통령 피살사건이 있었다. 1979년 10·26이후인 1979년 12월 전두환 군사 쿠데타와 1980년 5월 18일부터 5월27일까지 전두환 쿠데타 정권에 의한 광주시민의 광주민주화 항쟁이 있었다.

그리고 1987년 1월 서울대생 박종철 고문 사망 사건과 1987년 6월 연세대생 이한열 최루탄 피격사건이 6월 9일 항쟁전날 1987년 6월 10일부터 6월 29일까지 6월 항쟁이 있었다. 1987년 7월에는 최루탄 피격으로 인한 연세대생 이한열의 의식불명에서 사망 하였다.

당시의 사건은 1979년 10·26 전후의 시기로 볼 때 이전은 박정희 유신헌법으로 장기집권 시기였고 이로 인한 부마항쟁이 일어났다. 이 항쟁은 박정희 군사독재정권에 대한 민주주의를 요구하는 계기가 되었고 부마 항쟁 관련 진압 방식에 대한 갈등이 10·26일 대통령 피살 사건으로 이어졌다. 부마 항쟁은 1979년 10월16일부터 20일까지 경상남도 부산과 마산 지역에서 일어난 반정부 민중항쟁의 최초사건이었다.

유신체제는 정치·사회적 갈등에서 폭발직전으로 국민적 저항의 한계에 이르렀다. '백두진 파동'과 박정희 대통령 취임 반대 운동에서 시작되었다. 반정부 인사들에 대한 연행·체포·고문·연금 등 강압책과 야당과 재야 세력의 저항이 고조되어 갔다.

크리스찬 아카데미사건', '오원춘사건', 'YH 무역노조' 신민당사 농성과 농성 관련 진압과정에서 여성 노동자 사망사건'이 일어 났다, 그리고 김영삼 신민당 총재에 대한 총재직정지 가처분과 의원직박탈로 정국은 극한 갈등으로 치달았다. 국제경제 상황은 1970년대말 제2차 오일 쇼크라는 세계 자본주의 체제의 위기와 겹쳐 심각한 상황이 되었다. 우리나라는 중화학공업의 과잉 중복투자로 한국경제를 심각한 위기로 몰고 갔다.

국제통화기금의 구제금융과 함께 긴축 등을 골자로 '경제안정화정책'을 정부는 수용하기에 하였다. 경제위기를 해소하기 위해 정부는 중소자본가, 봉급생활자, 도시 노동자와 농민 등에게 안정화 비용인 부가가치세를 부과하였다.

비용 부담은경제위기로 어려운 처지에 있던 중소기업들의 도산을 더욱 가중 시켰다. 이에 따라 도시하층민들의 삶을 더욱 어렵게 만들었다. 노동집약적 제조업이 집중됐던 부산과 마산에서는 신발, 의류, 합판 등 영세한 자본과 낮은 수준의 기술이 결합한 저부가가치 제조업이 주를 이뤘다. 부산지역 부도율은전국의 약 두배, 서울에 3배에 달했고, 수출 증가율 역시 전국 증가율에 훨씬 못 미치는 10%로 하락했다.

부마 민중항쟁은 이런 정치적, 산업구조의 문제에서 일어난 학생·시민들의 반정부 민중항쟁이었다. 부산과 마산은 국제 경제 파동과 부산지역의 경공업 위주 산업단지에 기인하여 소규모공장들은 부도직전이었다. 설상가상으로 급여와 노동시간에 있어 남녀차별 등으로 여성 노동자들은 힘들어 하였다. 의류 무역회사에 다니는숙희와 명화는 오늘도 지친몸으로 공장일을 마무리하고집으로 가고 있었다.

숙희의 죽마고우인 명화도 함께 퇴근하였다. 피곤함에 지친 두 사람은 서로 집에 거의 올 때까지 한마디도 안하고, 집 근처에 와서야 숙희가먼저 명화에게 말하였다. "우린 언제까지 이렇게 힘들게 살아야 하는 거야"그러자 명화는 말했다. "우리 팔자가 고생하는 팔자가 봐"아직 봉급도 몇 달째 못받고 일만 하고 있었다.

월세방 주인아주머는 방세 달라고 몇 달전부터 안달났다. "아니! 돈이 없으면 방빼야지! 나도 먹고 살아야 하잖아!"라며 큰 소리로 방에대고 소리를 친다. 숙희와 명화는 한집 옆방에서 월세로 살고 있다. 월세 못낸지가 3개월이 다 되어 간다.

"공장에서는 왜 우리 죽도록 일만 시키고 돈은 안 줘! 자기들은 고급 차 타고 다니면서 맨날 돈 없다고 하기만 하고! 돈 달라면 "너희가 열 심히 일해서 수출이 잘 돼야 돈을 줄 것 아니야! 딴 소리 말고 일이나 열심히 해라!"라며 오히려 큰소리를 친다.

하지만 애초에 봉급을 줄 생각을 하지 않고 있다. 몇일전부터 숙희는 생각한 것을 명화에게 조용히 살짝 말해본다. "우리도노동조합을 만들어 힘을 합쳐 보는 것은 어때? 그렇지 않고는 봉급을 한푼도 못 받을 것 같아!"라며 조심스럽게 생각을 물어봤다. 숙희은 공장 사람들 사이에서도 신뢰감이 높고 용기도 있는 그런 사람으로 소문나 있었다.

그래서 숙희가 무엇을 하자고 하면 아무 말없이 사람들이 믿고 잘 따라주는 편이었다. 한편 숙희는 주변에서도 똑똑하기로 소문났으며 말도 잘해서 남자노동자들도 그 앞에 가면 함부로 말하지 못한다고 소문이 날 정도이다. 숙희는 명화에게 내일 점심 먹고 사람들을 모아달라 어제 말을 해났기에오늘은그간고민했던일을하고자하였다. 숙희는 조금 일찍 밥을 먹고 명화에게 눈짓으로 모두 모이게 하라고 하였다. 모두 사전에 틈새 시간에 전달하되 사장과 공장장과공장편에 있는 사람 몰래 우리쪽사람들에게 전달하라고하였다. 모두 자연스럽게 수다 떠는 곳인 모퉁이로 모였다. 거의 모이자, 숙희는 잠시 목소리를 가다듬고 기침하고 난 후 말했다.

"여러분!, 지금 우리는 몇 개월째 봉급을 못 받고 있습니다! 또한 노동환경도 최악상태입니다. 그런데 공장사장은 고급차와 양주를 먹으며 다니고 있습니다!, 이제 우리는 한 목소리로 우리의 의견을 전달할 필요가 있는 시점이 되었습니다! 라며 또렷하게 공장 사람들에게 말했다. 이어서 숙희는 말했다."

우리는 조합을 만들어 우리 대표를 뽑아 공장 측 사람들에게 우리의 의견을 전달해야 합니다! 그래서 날짜가 정해지면 그때 조합창립을 할 생각입니다! 여러분 생각은 어떻습니까?"라며 의견을 물었다.

여기저기서 수군수군하며 쉽게 동조하지를 못 했다. 그러자 명화가 이때 큰 소리로 말했다. "우리는 찬성합 니다! 조합을 만들어 저들에게 우리가 단결된 모습을 보여주면 우리의 의견도 들어줄수 있습니다" "저도,동참하겠습니다!"라고 동조를 하는 목소리로 전체 사람들에게 말했다. 여기 저기서 동조의 목소리가 나와 최종 조합창립에 찬성하게 되었다.

지금까지는 여성 노동자들은 고된 노동에 대한 불만이 개인적으로는 커갔지만달리 해결할 방법은 없었다. 숙희는 그런 생각을 가진 그들에게 함께 힘을 합쳐 우리들 의견을 전달하고 제때 봉급도 받고 일한 만큼 수당도 만들어 받도록 하자고 하며 의류 노동조합을 만들자고 제안한 것이다.

처음에는 조합창립에 대해 다들 걱정하며 망설였다. 하지만 숙희와 명화의 설득으로 일단 모음을 먼저 갖도록 하되 절대 공장사람들이 눈치 못 채도록 해야한다고 신신 당부하였다. 그래도 숙희가 나서서 한다고 하니 다들 믿을만하다고 생각하며 일단은 오늘 모임은마쳤다. 노동자들은 의류 노동조합을 조직하기 위해 밖에서 모임을 가졌다.

그들은 각자의 이야기를 나누고, 함께 힘을 모아 불공평한 대우에 맞서기로 하였다. 조직을 위해 힘을 우선 합치는 것이 우선이었다. 그것이 남녀 투쟁의 시작이었다. 노동자들의 결의가 강해짐에 따라 공장사장과 공장장은 주동자를 찾기에 혈안이 되어 있었다.

하지만 그들이 하고자 하는일이 개인뿐 아니라 모두를 위한 일이기에 비밀을 서로간 잘 지키고 있었다. 공장측 에서는 반발하며 공장 노동자들의 조합창립에 대해 반대하며 대응하기 시작했다. 남녀 노동자들은 더욱 강력하게 힘을 모아 대응했다.

시위와 농성, 불평등에 맞서 싸우는 그들은 모두를 위한 변화를 끌어내기 위해 모든힘을 발휘했다. 고난과 역경을 딛고 남녀 투쟁으로 시작된 노동조합은 성공을 거뒀다. 공장의 불공평한 대우가 개선되었고, 남녀 노동자들은 서로를 존중하는 사회를 만들기 위해 힘을 합쳤다. 이들은 힘들고 어려운일이지만 서로가 희망과 변화를 원하고있기에 가능하였다고 보았다. 하지만 노동조합의 투쟁은 성공적이었지만 숙희는 주동자로 몰려 경찰에 고발되어 결국 공장을 그만두게 되었다. 하지만 숙희가 있는 곳에 또다른 투쟁으로 숙희의 복직을 위한 투쟁이 시작되고 있었다.

숙희는 먼저 모임을 위해 해가 뜨기 전, 이른 새벽에 의류 노동조합을 결성하기로 했다. 조용한 공장안에서결의를 다지고, 서로에게 용기를 주며 그들은 힘을 모아 노동조합을 결성하였다. 여성 노동자들은 단결하여 공장측의 불평등한 대우에 대항하기 시작했다.

노동쟁의의 열기는 공장을 떠난 여성 노동자들뿐만 아니라 동료 남성 노동자들에게도 전해져, 결국 공장전체가 노동자 투쟁의 중심지가 되었다. 여성노동자들은 힘을 합쳐 단결투쟁의 의지를 보여주었다. 그들 남여 노동자 사이에는 서로에 대한 미움과 증오가 아닌 우정과 존경심이 피어났다.

그 과정에서 서로간의자신의존엄성을찾아가는여정이 펼쳐졌다. 지나가는 사람들은 그들의 노동조합의 단결투쟁을 지켜보았다. 언론은 이들의 이야기를 사회적 이슈화하며 사회적인 관심을 끌었다.

이로써 부산의 의류공장은 변화의 불씨를 키우게 되었다. 노동자들은 이러한 고난과 역경을겪으며 노동조합을 결성하였다. 또한 그들의 목소리를 공장측에 전 달할 수 있는 단체를 만들어 협상을 하였고 결국은 노동자들의 주장이 받아 들여지게 되어 결국 승리의 순간을 맞이했다.

이로서 공장은 남여노동자간 불평등한 대우를 철폐하고, 여성 노동자들에 대한 차별을 없애는 데에 성공했다. 이들의 힘든 노동조합의 투쟁의 여정이 사회적인 변화를 이끌어 내는 계기가 되었다. 이처럼 숙희는 모두의 단결과 투쟁을 통해 어려움을 극복하고그들만의 자존감을 되찾아갔다.

이들의 투쟁 성공은 주변 지역의 모범 사례가 되어 지역 사회의 노동운동에 많은 긍정적 영향을 주게 되는 계기가 되었고 노동조합에 대한 사회적인 문제에 대한 인식을 바꾸는 계기가 되었다. 하지만 아직 노동조합을 만들지 못한 공장들도 많이 있었다. 대부분 열악한 봉제공장과 의류수출공장의노동자들은봉급을 제대로 못 받고 있었고

이러한 일들이 빈번하게 일어나고 있었다. 이렇게 봉급을 제때 못 받는 중에도 회사에서는 봉급을 안주려고 폐업 등의 위장으로 많은 노동자들의 봉급을 가로채기도 하였다. 한 동안 폐업한 공장들은 다시금 몇 개월 있다가 다시 재개업하여 같은방식으로 봉급을 갈취하는 등 이루말할수 없이 열악한 노동환경속에 노동자들은 방치되어 있었다.

이러한 열악한 노동환경과 국제경제와 국내외의 상황 악화로 부마항쟁이 불꽃처럼 타올라 전국으로 퍼져나갔다. 부마항쟁은 부산지역의 산업구조와 국제정세 및 금융위기 등의 국내외 사회, 경제적구조의 악순환에 의해촉발된 항쟁으로 1979년 10월 16일 아침10시경, 부산대학교 구내 도서관 앞에서 약500명의 학생이 모여 반정부 시위를 벌이는 것으로부터 시작되었다.

학생들은 애국가·선구자·통일의 노래 등을 부르는 한편, "유신정권 물러가라", "정치 탄압 중지하라"는 등의 구호를 외쳤다. '민주 선언문'이란 이름의 유인물은 학원의 민주화, 언론자

유, 인권 보장에의 신념을 확인하고, "제도적 폭력성과 조직적 민중에 대한 탄압인 유신헌법과 독재 집권층의 퇴진만이 5천만 겨레의 통일 첫걸음이라 주장하면서 형제의 피를 요구하는 자유와 민주의 깃발을 우리가 잡고 반 민주의 무리, 불의의 무리를 향해 외치며 나아가자"고 선언문 낭독하였다.

구호와 민중가요, 선언문 낭독 등으로 기세를 올린 학생들은 산발적으로 교문을 나가 가두시위에 돌입했다. 이때학생수는 약 5,000명으로 불어나 있었다. 학생들은 광복동과 남포동 등 부산 시내 중심가까지 진출, 애국가 등을 부르는 한편 반 정부구호를 외치며, 이를 막으려는 경찰과 곳곳에서 충돌하였다.

한편, 비슷한 시간에 부산 동아대학교에서도 1,000여명의 학생이 시내에 진출, 부산대학교 학생과 합류하여 가두시위를 벌였다. 이날 데모로 학생 수백명이 연행되고 경찰관과 학생 100여명이 다쳤다.

이튿날 17일에는 학생들의 시위가 더욱 격화 되었다. 이날부터의 데모에는 학생들뿐만 아니라 다수의시민이 합세하였다. 오후까지 시위는 학생들에 의해 주도 됐으나 야간시위에서 시민들의 시위대는 3분만에서 5만명이 시위에 동참하였다.

부마 항쟁 때 민수의 작은 아버지는 부산에 계셨다. 부마항쟁에, 시위대에 가담한 혐의로 경찰에게 잡혀 투옥되어 고문을 당하기도 하였다. 당시의 부마항쟁으로 다양한 사고와 사망사건이 발생했으나, 그러나 정확한 사망자 수와상세한 사건들은 아직도 구체적으로 밝혀지지 않은 부분이 많이 있다.

이러한 부마민중항쟁은 장기집권의 유신정권을 무너뜨리는데 원인을 제공하였으며 대한민국 역사상 중요한 사건중 하나로 기억되고 있다. 민수의 작은 아버지도 부마항쟁에 참여하여 우여곡절을 겪게 된다. 당시 민수의 작은 아버지는 부마항쟁의 시위대 주동자로 가담했다. 시위가 끝나고 시위대가 해산하여 시위대동료들과함께 부산 국제 시장인근에서시위대를이끌며 민중가요를 함께 부르며 시위대 앞에서 앞장서서 시위를 주도하였다.

 민수 작은아버지 성함은 이용만으로 그는 자유를 향한 열정이 높았으며 그날도 자유에 대한 갈망을 시위대와 함께 하였다. 용만은시위를 끝내고 간단한 뒤풀이를마치고 집으로 돌아오고 있었는데 뒤쪽에 누군가 따라오는 그림자를 보았다. 경찰은 해산하지 않고 진압대형을 유지하고 있었다. 용만은 몇 번이고 뒤돌아보며집으로향했다. 뒤에는 몇몇 진압경찰들과 사복차림의 형사들이 따라오고 있었다.

 용만은 불안해하며 주변을 둘러보는 순간 갑자기 누군가 용만의 뒷덜미를 잡았다. 형사는 용만을 시위 주동자로 보고 감시하다가 혼자 가는 그를 붙잡았다. "이용만! 불법시위동조혐의로체포한다!"형사는 말했다. 용만은 강경하게 저항했으나 경찰에 연행되어 경찰서에 구금된 이후 고문을 당하고 며칠만에 집에왔다. 용만은 구금되었다

 풀려났지만, 다시 경찰서에서 용만을 불법 시위 주동자로 다시 경찰서에 수감시켰다. 그리고 며칠 뒤에 아무런 통보 없이 바로 삼청교육대에 수용되었다.

그곳은 어둠과 불안 그리고 고통의 공간이었다. 가혹 행위와 감시 그리고 강제 노역이 한밤중까지 이어졌다. 용만은 자유를 상상하며 밤낮으로 탈출 방법을 생각하였다. 내면에는 자유에 대한 갈망의 꽃이 피어났으며 수감동료들과 함께 탈출논의를 하였다. 드디어 기회의희망이 생겼다. 그는 어둠속에서 탈출할 희망의 불빛을 보았다.

평소에 아무 생각 없이 지냈던 그 시간이 얼마나 소중한 자유였는지 다시 한번 온몸으로 느끼고 겪고 있 다. 저녁 식사가 끝나고 점호를 받고 나서 서로 간의 손짓으로 그간 수저로 만든 칼과 철망을 끊을 수있는도구를 가지고밖에 철창을 뚫고 밖으로 나왔다.

그의 발걸음은 자유를 향해 빠르게 달렸다. 그는 다시 자유로운 세상으로 돌아왔다. 자유를 누구보다 뼈저리게 느낀 용만은 탈출한 몇몇 동료들과 함께 다시금 자유를위해 시위대에 다시 참여하여 민주화를위해 싸워야 한다는생각이 있었다.

용만은 그날밤 몰래 집으로 돌아왔다. 용만 아내 여옥은 깜짝 놀라 남편을 바라봤다. "경찰서에 갔더니 집에 보냈다고"하며 더 이상 묻지 말라고 하였다고 하였다. 용만은 지난일을 말하고 다시 시위대에 참석할 것이라고 하였다. 비로소 여옥은 그를 반갑게 반겨주었다. 그녀의 눈에는 자유를 갈망하는 눈빛이 역력했다. 용만과 여옥은 독재에 저항하며 자유를 위한 시위에 참석하여 자유와 민주화를 위해 투쟁하자고 하였다.

다음날날이 밝자 그들은 시위대에 다시 합류했다. 힘찬'임 을 향한 행진곡'과 '단결투쟁가'를 함께 부르며 자유의 귀 함에 새삼 눈물이 나오고 감사함을 느끼게 되었다. 용만은 시위대를 이끌고 힘차게 민중가요인 '임을 위한 행진곡'과 '단결투쟁가'를 시위대와 함께 큰 소리로 팔을 흔들며 스피커에서 나오는 노래 소리에 맞쳐 힘차게불렀다.하지만 다음 날 한밤중에 형사가 찾아와 용만의 거처를 물었으나 여옥은 대답하지않았다.

형사는 되돌아가면서 남편이 돌아오면 경찰에게 연락하라며 떠났다. 갑자기 들이닥친 형사 때문에 옷장으로 숨었던 용만은 나와서 다른 곳으로 일단 피신해 있다고 하면서 집을 나섰다. 혹, 자신에게 무슨 일이 있으면 아마 형제복지원으로 끌려가서 노역할 것 같다며 삼청 교육대 사람 중에 형제 복지원에 갔다 온사람이그런이야기를해주었다고하였다.

용만은 집을 나서는 순간 잠복 중인 형사에게 바로연행되어 다시금 경찰서에 구금되었다. 고문과 조사 등을 반복하며 잠을 재우지않는 등 사람으로서 견디기 어려운 고통이 몰려왔다. 더 이상 참기 어려운 상황까지 오자 형사는 자신이 불려 주는대로 조서를 쓰면 다른 곳으로 보내 주겠다고 하였다. 용만은 형사 말대로 부르는대로 조서를 꾸미고 서명하라고하여 서명 날인 후 조서를 주었다.

형사는 저녁 식사는 만찬이 될 것이라며 국밥을 한그릇 시켜 주었다. 처음엔 무슨 소리인가 하였는데 저녁 식사 후 자정이 되자 또 다른 사람이 왔다. 그 사람은 용만을 보자 이 사람이냐고 형사에게 묻자, 그래, 이따 자정에 수감 장소를 그쪽으로 옮기라고 연락을 받았다는 이야기를 들을 수 있었다. 용만은 형제복지원에갔다 온사람에게 그곳 사정에 대해 많은 이야기를 들었다.

자신도 그곳에 갔다 탈출했다며 탈출경로와 방법 을 말해 주었다. 자정이 되자 구속 중인 용만을 인계하려 다른 기관에서 나온 호송인과 함께 용만은 호송 지프를 타고 그 사람을 따라 갔다. 말이 석방이라고 하였지만 수갑은 여전히 풀어 주지 않았다. 부산 형제복지원에 도착하자 신고식을 하고 첫날 부터 구타가 시작되었다. 죽을 만큼 맞았다.

복지원 원장은 거만하고자신이 국가에 애국하는 사람이라며 훈장도 보여 주었다. 그러면서 너희들 하나 죽여도 눈하나 깜짝하지 않는다며 탈출 할 생각조차 하지 말라고 하였다. 용만은 그곳 일정에 따라 움직이며 탈출 경로와 도구 등을 몰래 만들고 있었다. 형제복지원에 온 지도 벌써3주가 되어 가고 있었다. 어느 정도 이곳 일정을 알 수 있었다.

탈출 일정과 시간을 마음속으로 정하고 이곳에서 가장 감시, 감독이 취약한 장소와 시간대를 정해 놓고 그날만 되기를 기다리고있었다. 이번에는 혼자 탈출하기로하고 아무에게도 말하지 않았다. 이곳 수감자중에 원장이 심어놓은 끄나풀이 있다고 하였기에 혼자 탈출하기로 한 것이다.

드디어 그날이 되어 만반의 준비를 하고 화장실 간다고 하면서 나와 어둠 속에서 희망의 꽃을 찾아 나섰다. 용만은 형제복지원의 화장실 철창을 뚫고 밖으로 나왔다. 그의 발걸음은 자유를 향해 탈출 하는데 성공했다.

그리고 바로 형님이 계시는 민수네로 서울가는 택시를 얻어 타고갔다. 부산에 가면 다시 형사들이올 것 같아 갈 수 없어 집에는 비밀로 잘 있다고만 알렸다. 일단 민수네에 왔다가 다시

다른 거처로 옮기려고 생각하고 있었다. 용만은 다시 자유로운 세상으로 돌아왔다. 그러나 그의 마음은 아직도 부마 민중항쟁에 대한 투쟁의 마음이 타오르고 있었다. 그는 다시금 민주화를 위해 싸워야 한다는 생각만이 옳은 길이라고 생각했다.

용만은 서울에 왔지만, 이곳도 역시 대학생들 시위와 진압군간에 치열한 저항과 진압이 있었다. 서울도 부마처럼 자유를 위해 목숨 바쳐 싸우고있었다.

부마항쟁은 주로 시민과 학생들이 시위대에 참여 하였고 서울은 주로 대학생들이 독재정권에 저항하고 있었다. 용만은 계속 서울에 있을 수가 없어 아는 지인이 있는 광주로 여옥과 함께 이사하여 내려갔다. 용만과 여옥은 광주에서도 시민들과 학생들이 민주화를 위해 함께 투쟁하며 싸우고 있었다.

그 지역의 광주시민과 학생들은 민주화를 쟁취하기 위해 민중가요를 부르며 광주 시민과 학생들을 이끌고 있었다. 그들의 목소리는 자유와 희망을 광주시민들에게 전했다.

용만은 그곳으로 시위대와 함께 시위하기 위해 도청 앞으로 갔다. 저녁에 도청앞에서 민주화 지지자들이 모여 '임을 위한 행진곡'인 민중가요를 함께 힘차게 부르며 민주화의 미래를 향해 함께 가자고 하였다.

용만은 힘찬 목소리로 민중가요을 부르며 잘 참석하였다고 격려와 칭찬을 아끼지않고 참석한 시민들에게 격려하며 감동을 주었다. 그들이 부른 '임을 위한 행진곡'은 전국으로 노래가 퍼져나갔다.

그리고 그들은 민주화의 미래를 위해 끊임 없이 싸웠나갔다. 이후에도 용만은 광주에서 새로운 삶의 터전을 잡고 민주화를 위해 끊임없이 싸우고 있었으나 그의빛나던 자유를 갈망하던 눈빛은 변하지 않았다. 그의 아내 여옥은 용만을 응원하며 함께 하여 민주화를 쟁취하자며 서로를 격려하였다.

그녀의 미소는 빛나는 자유의 꽃처럼 아름다웠고 그들은 함께 민주화의미래를 향해 나아가자고 하였다.다행히 작은아버지와 민수는 시위대와 진압군으로 만나지 않아 다행이었다

숙희도 이러한 과정에서 의류공장의 노동조합과 연대하여 함께 부마항쟁 시위에 함께 하기로 하고 모두 일찍 조퇴하여 참가하기로 하였다. 참가한 시위대에는 화이트칼라, 노동자, 영세상인, 고교생들도 동참 했다. 17일에 이르러서 하층민의 국민 등도 함께 참여하였다.

이에 동조하는 시민들은 박수와 음료수 등을 시위대에 주었으며 시위에 동조하였다. 학생시위는 시민항쟁의 양상을 띠어가고 있었다. 밤늦게까지 계속된 시위에서 학생·시민들은 KBS부산방송국과 도청·세무서·파출소 등을 파괴하였다.

일부 경찰차량과 보도기관의 취재 차량도 피해를 보았다. 한편, 민주화 운동은 18일에 마산으로 확산하였고 해질 무렵 1,000여명의 경남대학 학생들이 마산시내 번화가에 산발적으로 집결, 일부 시민들이 가담한 가운데 격렬한 시위를 벌이기도 하였다. 어두워진 다음 학생과 시민들의 데모는 격화되어 파출소·공화당사·방송국·신문사에 투석, 유리창을 파괴하였다.

수십 명의 청년은 공화당사의 셔터를 부수고 안으로 들어가 서류와 집기를 밖으로 내던졌고, 파출소로 뛰어들어간 또 다른 청년은 벽에 걸려 있던 박정희의 사진을 파손했다. 갈수록 시위는 더욱 치열해져 마산시내는 한때 무정부 상태가 되기도 하였다. 이날 저녁 8시경, 시위대는 경남대학과 마산산업전문대학, 그리고일부고교생까지 합세하여 약 8,000명에 이르렀다.

 부마민중항쟁에서 시위대에 의해 공격받은 기관과 사회계층은 집권정당의 공화당사와 경찰·파출소였다. 다음은'부유층'에 대한 공격, 세 번째로 국가의 부도측면에서 봉급을 받는 모든 사람에게 부가가치세를 납부하도록 하여 민심이 흉흉해 졌다.

 이에 직장과 공장노동자 등 세금을 납부하여야 하는 국민들은 반감을 갖고 시위에참여하여 "부가가치세를철폐하라"등으로 세무서와 마지막으로 신문사·방송국에 대한 공격도 있었다.

 부마 민중항쟁에 대해 박정희정권는 처음에는 대수롭지않게 생각하다가 사태가 심상치 않게 확대되어 나가자 강경책으로 대응했다. 정부는 18일새벽 0시를기해 부산일원에 비상계엄을 선포하였다.

 부산 지구계엄사령부는 18일 0시를기해 포고문제1호를 발표, 각대학의 당분간 휴교조처와 야간통행금지 시간의 2시간연장 등8개항을 포고하였다. 계엄사령부는10월24일 군·검증함. 동반을 편성, 계엄시기 조직 깡패를 발본키로 특별수사부를 설치, 소탕 작전에 들어가기도 하였다.

부산 일원에 계엄령을 선포한지 2일 뒤인 10월 20일 정오를 기해 정부는 경상남도 마산 및 창원 일원에 위수령을 발동하였다.

이와 함께 마산 지역 작전사령부는 마산 일원에 군을 진주 시켜 시청 등 정부기관과 언론기관 등공공건물에 대한 경계에 들어갔다. 통행금지가 2시간 연장되었고, 경남대학과 경남산업전문대학은 무기한 휴교조처가 취해졌다.

계엄령이 선포된 부산지역에는 공수부대가 동원되어 시위하는 시민과학생에 대해 강도 높은 진압이 이루어졌다. 이 때문에 계엄령과 위수령 발동 후 부마 민주항쟁은 적어도 표면적으로는 단시간에 진압되었다. 그러나 부마민주항쟁 직후 1주일도안되어 10·26 사건이 발발하였고, 유신체제도 종언을 맞이했다.

부마 민주항쟁은1970년대 유신체제 아래에서 쌓였던 정치·사회·경 제·문화·종교 등 각 부문에 걸친 여러 모순의 폭발이었고, 사실상 박정희정권의 붕괴를 촉진한 결정적인 요인이 되었다. 이러한 과정에서 한국 정치의 지역주의가 원래부터 호남 대 영남의 대결이 아니었으며 그 구도는 '1979년10월 부마(민주)항쟁'이라고 볼수 있었다.

대구경북의 박정희정권을 무너트린 것은 호남이아니라 같은 영남인 부산과마산이었다. 우리가 알고 있는 통념과 달리,대구경북(TK)과 부산경남(PK)은 1990년 3당 통합까자 정치적 성향이 서로 대립하는 지역이었다. 1987년도 이전까지만해도 한국정치가 지역주의로 가지않았고 민주 대 반민주의 변형이었다. 군사독재의 기반은 박정희 고향인 대구경북(TK), 육영수와 김종필의 고향인 충청이었다. 부산경남(PK)은 야당이었던 김영삼의 기반이었던 만큼 김대중의 고향이었던 호남과 함께 민주세력을 지지했다.

민주화 이전의 지역갈등은 '대구·경북·충청' 대 '호남·부산·경남' 이었다. 10월18일에는 마산으로 번져갔다. 경남대 학생들이 시작한 시위는 창원과 수출자유공단의 노동자들이 가세했고 부산보다 격렬해져 민주공화당사, 방송국, 경찰서가 불탔다.

박정희 정권은 이지역에 비상계엄령과 위수령을 선포하고 계엄군을 투입하여 진압하고 하였다. 이러한 부마사태에 대한 진압을 두고 김재규 중앙정보부장은 유신완화와 강경진압의 반대를 건의하자 경호실의 차지철 경호실장은 강경진압을 주장하면서 의견의 충돌로 10월 26일 대통령 피살사건의 원인이 되었다.

부마항쟁은 부산·마산을 대표하는 정치인 김영삼을 국회에서 제명한 것이 촉진제가 됐다. 1979년 경제위기로 임금을 못 받은 가발수출업체 YH무역 여공들이 야당인 신민당사에서 농성을 했다. 농성 진압과정에서 여성노동자가 사망하는 사건이 발생하게 되어 정국은 급속도로 냉각되었다. 당시 박정희 정권이 의정사상 처음으로 야당 당수를 제명하면서 부마항쟁의 촉진제 역할을 하였으며 연쇄적으로 광주항쟁으로 이어지면서 서로가 연결돼있었다.

부마항쟁의 기념관 안에는 '대한민국은 민주공화국이다. 대한민국의 주권은 국민에게 있고 모든 권력은 국민으로부터 나온다'는 글이 적혀 있다. 부마항쟁, 6월 항쟁, 그리고 촛불시위 등으로 이어지는 한국 민주화 운동의 역사를 적어 놓았다. 정부는

2019년 부마항쟁이 일어난 10월16일을 국가기념일로 지정하여 부마항쟁이 국가적 차원에서 정당하고 자랑스러운'민주항쟁'으로복권이 됐다는 인식을 국민들은 하게되었다.

반년뒤에 는 5·18 민중항쟁에비해 별관심을 받지 못한 이유로는 1990년 3당통합으로 자신들이 지지하던 진보지역의 김영삼이 당시 군사정권인 보수정당과 정치적 결탁하여 김영삼은 군사독재정권인 보수로 통합을 이루었다.

대선에서 김영삼은 보수정권 후보로 지명되면서 반발하는 시민들도 있었으나 결국부산·마산은 정치적 노선을 진보에서 보수로 바꾸어 보수정당을 지지하는 지역이 되는 불행한 역사도 가지고 있었다.

당시의 부마 항 쟁관련 기사에서는 부마항쟁 후유증 사망 피해자에 대해42년 만에국가보상이처음발표되었으며해직을당했던 교수가국 가배상책임판결을받은사례도보도되었다.이러한기사들이 부마 민중항쟁의 역사와 후유증에 대한 이해를 높이는 사례 등으로 신문에 보도되기도 하였다. 대통령 시해 사건 이후 시기에는 1979년 전두환 12·12 군사 반란에서 시작되어 1980년 5월18일부터 5월27일까지 쿠데타세력에 저항하는 시민들을 무차별적으로 살상한 사건이 있었다.

제 04장 사자후

이후 전국은 다시금 소용돌이로정국이 돌아가고 있었다. 1987년 6월, 대통령 직선제개헌 등 민주화를 요구하며 전국적으로 전개된 대규모 시민항쟁인 6월 항쟁이 시작되었다. 유월항쟁 당시 전국 곳곳에서 매일 평균 100회이상의 시위가 동시다발로 벌어졌다. 유월항쟁에 참가한 연인원은400~500만명으로 되었다. 결국 전두환 정권은 1987년 6월 29일 6·29민주화 선언으로대통령 직선제 직선제 개헌이후 대한민국 사회는 본격적인 민주화단계로 접어들게 되었다.

1987년 6월, 대통령 직선제 개헌 등 민주화를 요구하며 전국적으로 전개된 대규모 시민항쟁배경으로는 1985년 2·12총선에 서신한 민주당이 승리한 것을 기점으로 대통령 직선제 개헌요구가 날로 커졌다. 1986년 개헌서명 운동의 성과로 국회내 개헌특위가 만들어 졌지만,여야간 개헌협상은난항을 거듭하였다.

이를 빌미로 전두환은 대통령 임기내 개헌을 거부하고, 기존 제 5공화국 헌법으로 차기 대통령 선거를 치르겠다는 이른바 호헌조치를 발표하였다. 전두환정부가이렇게 개헌거부를공식화한상황에서 5월 18 일 정의구현 사제단이 지난1987년1월 발생한 박종철 고문치사사건이 정권차원에서 은폐·조작되었다는 사실을 폭로하였다.

많은 시민들이 크게 분노하였고, 야당과 민주화운동진영은 전두환정부에 정면으로 도전했다. 1987년 5월 27일 여당과 재야, 종교계 등이노태우를 대통령후보로 지명하는 6월 10일에 맞춰 '고문살인 은폐규탄 및 호헌철폐 국민대회을 치르기로 하였다. 대학생들은 국본에 참여하지 않았지만 '서울지역 대학생 대표자 협의회'를 중심으로 6·10 국민대회에 호응하여 6월초부터각대학별로연일집회와시위를벌었다.

그런데 6·10 국민대회 하루 전날인 6월9일 연세대 학생 이한 열이 교문 앞에서 시위를 벌이다가 경찰이 쏜 최루탄에 맞아 피를 흘리며 쓰러졌다. 그는 곧 혼수상태에 빠졌다. 이 소식이 알려지자 학생들은 물론 시민들의 분노가 들끓었다. 이러한 분노속에서 6·10 국민대회가 열렸다.

경찰은 대규모 병력을 동원해 대회가 열리는 성공회대 성당을 원천 봉쇄하였다. 하지만 대회 예정 시간인 오후 6시이전부터 서울 시내 곳곳에서 대학생들의 대규모 시위가 일어났고, 시민들도 다양한 방식으로 6·10국민대회와 학생시위에 동참하였다.

이날 밤 늦게까지 시위를 벌이던 학생들은 명동성당으로들어가 이후 5일 동안 농성을 계속하였다. 대학생들의 명동성당 농성은 6·10 국민대회가 지속적인 저항으로 이어지는 계기가 되었다. 명동성당 농성을 거치며 항쟁은 전국적으로 확산 되었다.

이후 6월 10일 서울 외에도 전국 주요 도시에서 동시 다발적으로 시위가 벌어졌 지만, 15일까지 항쟁의 중심은 서울이었다. 하지만 6월15일경 부터는 부산, 대전, 진주 등에서 격렬한 시위가 전개되었다. 그러다가 6월 20일부터 대규모 시위가 광주, 전주, 순천, 익산 등 호남지방으로 확산되었고 약 20일 동안 전국 곳곳에서 매일 평균100회이상의 시위가 동시다발로벌어졌다.

특히‘최루탄추방대회’와‘국민평화대행진‘은 전국 곳곳에서 한꺼번에 1백만명 이상이 참여하였다. 갈수록 참가 지역이 전국 곳곳으로 확산되어 대도시, 중소도시뿐만 아니라 농촌 지역의 군 단위에서도 시위가 일어났다. 6월 26일 하루에만 37~3 8개 시·군에서 시위가 동시에 벌어졌다.

유월항쟁에 참가한 연인원은 400~500만 명으로 추산된다. 반면 유월항쟁의 전국적 동시 시위는 경찰병력을 분산시켰다. 분산된 경찰병력으로는 여기 저기서 터져 나오는 거센시위의 물결을 막아낼 수 없었다. 경찰력이 한계 상황에서 전두환정권이 기댈 수 있는 것은 군대의 힘밖에 없었다.

하지만 군대 당사자들이 수 용 여부가 미지수였다. 또한 88 서울올림픽이 얼마 남지 않아 미국 등 국제 사회의 이목이 집중된 상황에서 군대를 동원하더라도 이러한 대규모 시민 항쟁을 진압할 수 있을지 확신할 수 없었다.

결국 경찰력으로 항쟁을 막기 힘들고, 군대투입도 어렵다고 판단한 전두환 정권은 1987년 6월 29일 '6·29 민주화 선언'을 통해 대통령 직선제 개헌 요구를 수용하였다. 그리고 그동안 의식불명상태에 있었던 이한열이 7월 5일 끝내 사망하 였다. 5일장 후 7월 9일 치러진 이한열의 노제에 100만 명의 인파가 모인 것을 끝으로 약 한달 동안 지속된 유월 항쟁은 마무리되었다.

유월항쟁이 대통령직선제 개헌이라는 성과를 거둘 수 있었던 가장 큰 원동력은 이 항쟁에 동참한 학생과 시민들의 요구가 '호헌철폐 독재타도', '직선제 개헌'이라는 슬로건으로 모아졌기 때문이었다.

유월항쟁은 이러한 민주화 세력의 통합성, 즉 각기 다른성격과 지향을 가진 여러 주체들이 모두 동의할 수 있는 '최소강령'하에 '최대 연합'으로 결집하였기 때문에 성공할 수 있었다. 더 나아가 이러한 경험을 바탕으로 이후 실질적 의미의 '시민사회'가 형성될수 있었다. 국본은 민정당 대통령 후보 지명대회 날인   6월10일에 전국적으로'고문살인 은폐규탄 및 호헌철폐 국민대회 열기로 결정했다.

또 다른 한편에는 잠실체육관에서 오전10시부터 '민정당 제4차 전당대회 및 대통령 후보 지명대회'가 열렸다. 대통령 전두환과 차기 대통령선거 민정당 후보로 지명된 노태우는 손을 맞잡고 환호했다. 반면 전국 각지에서는 이에 반대하는 국민들의 열기가 분출되었다. 이후 직선제 개헌쟁취국민의 저항에 직면한 정권은 결국 6·29 선언을 발표한다.

노태우 민정당 대표위원은'대통령 직선제 개헌을 하고 새 헌법에 의한 대통령 선거를 통해 88년 2월 평화적 정부이양을한다.'는 내용의6.29 선언을 발표한다. 직선제 개헌이 쟁취되면서 정치권은 선거로 달려갔고, 전국을 뒤끓었던 투쟁 열기는 급격히 수그러들었다. 6.29 선언이 발표되었고, 이를 통해 직선제 개헌은 관철 되었지만 민중들의 요구는 거의 반영되지 않았다.

이에 노동자 들은 생존권 확보 및 노동조합 결성에 나섰다. 7월 5일 울산 현대엔진 노동자들의 노조 결성투쟁을 시작으로 전개된 노동자 대투쟁은 울산, 마산, 창원의 대기업 사업장을중심으로 본격화되었다.

이후 부산과 거제 등지로 확산된 파업투쟁은 수도권 의 중소기업·비제조업 등으로 확산되어 갔다. 하지만 8월29일경부터 공권력이 적극 개입하면서 투쟁의 파고는 9월부터 점차 가라앉기 시작했다. 그러나 제조업 노동자들의 투쟁이 소강상태로 빠져든 8월 말부터 운수·광산·사무·판매·서비스·기술직 등 비제조업 노동자들의파업투쟁이 9월이후계속되었다. 노동자 대투쟁을 통해 많은 노동조합이 새로이 조직되었다.

여당인 민정당과 야당인 통일민주당이 합의하여 대통령 직선제를 골자로 한 개헌안이 마련되었고 국민투표를 거쳐 10월 29일 헌법이 공포되었다. 1987년 10월 27일. 하루도 빠짐없이 거리가 최루탄에 뒤덮이고 언제 군대가 투입될지 모르는 일촉 즉발의 정국이 6·29 선언으로 안정을 되찾은지 넉달이 지났다. 그사이 어김없이 대선 국면이 찾아왔다.

정부·여당이 정해놓은 후보가 뽑히게 돼 있는 눈가리고 아웅식 '체육관 선거'대신, 새로운헌법에따라 16년만에 처음으로 국민이 직접 대통령을 뽑는 선거가 12월에 치러질 예정이었다. 6·29 선언을 들으며 환호했던 국민은 선거에서 군부세력이 물러나고 정통성있는 민주정부가 수립될 것을 의심치 않았다. 하지만 그리 심각한 의문은 아니었다.

김영삼과 김대중, 존경받는 민주화운동 지도자이자 불세출의 카리스마적 정치인인 두사람중 누구든지 야권후보로출마하면 여당 후보인 노태우를 제칠 상황이었다. 두 사람은 경쟁하다시피 양보의사를 밝히기도했다.

김대중은 1986년 "나는 다음 대선에 출마하지 않을 것"이라고 밝혔고, 김영삼도"사면·복권이 이루어진다면 김대중씨를 대통령으로 만들기 위해 전력투구하겠다"고 했다. 대부분의 국민은 두 사람의 선의와 양식을 믿었다. 단일화는 시간문제로여겨졌다. 두 사람의 연설이진행되었다. 김영삼이 연설한마디를 끝낼때마다 청중은 야유와 조롱을 보냈다. 후보를 사퇴하라! 사퇴! 사퇴! 사퇴!" 이런 외침도 터졌다. 마침내 연설을 마친 김영삼은 정치 인생 30여년에 처음 겪는 굴욕감에 떨며 고려대 정문을 나가버렸다.

김대중이 연설대에 올랐을 때, 토론회장은 마치 그의 개인 유세장처럼 바뀌어있었다. "김대중!"을 연호하는 사람들 앞에서 김대중은 상기된 표정으로 여유있게 연설을 마쳤다. 뒤이어 지지자들에게 목말이 태워져 땅거미가 내리는 학교앞 안암로를 행진했다. 마치 대통령 당선 축하 행진을 벌이는 듯한 분위기속에서, 김대중은 외쳤다.

"여러분! 정말 감사합니다. 오늘 저는 어떤 결단을 내려야 겠다는 결심을 굳혔습니다!" 다음 날, 김대중은 자신을 따르는 정치인과 함께 통일민주당을 전격 탈당한다고 선언했다. 그리고 얼마 뒤인 1987년 11월 12일, 김대중을 총재이자 대선 후보로 하는 평화민주당이 창당됐다.

김영삼 쪽에서는 즉각 김대중 진영을 맹비난하고 독자적으로 대선에 출마했다. 이로써 대선결과 는 한 치 앞을 내다볼 수 없게 됐다. 두 김씨는 그래도 자신이 이길 거라고 굳게 믿었다. 특히 김대중은 "단일화보다 오히려 각자 출마가 더 승산이 있 다"는 묘한 분석을 하기도 했다.

이른바 '4자 필승론'에 따르면, 만일 김대중이 단일 후보로 나오면 수도권과 호남은 석권하겠지만 영남의 표가 노태우에게 집중되면서 승패를 알 수 없게 된다. 김영삼이 단일 후보라도 영남표를 노태우와 나눠먹고, 수도권과 호남에서는 '집권당' 때문에 충분한 지지를 얻지 못한다. 그런데 김종필을 포함해 모두 네 사람이 동시에 출마하면 영남표는 김영삼과 노태우가 나누고, 충청표는 김종필이 가져간다. 그러면 수도권과 호남에서 몰표를 얻을 게 분명한 김대중 자신이 최다 득표로 당선된 다는계산이었다.

선거전이 격화되며 지역감정이 기승을부렸다. 광주에서는 김영삼에게 달걀이 날아들었고, 김대중도 부산 유세 때 곤욕을 치렀다. "누구는 김일성에게 지령을 받는다더라" "누구는 숨겨 놓은 딸이 있다더라" 이렇게 치졸한 흑색 선전까지 나돌면서, 한때 민주화의 상징과도 같던 두 김씨의 위상은 빠르게 추락해갔다.

지역주의·권위주의 병폐 청산할 기회였건만 12월17일, 조간신문에는 이런 기사가 대문짝만하게 났다. "노태우후보당선확정". 최종득표는노태우가전체 의828만여표, 김영삼이 633만여표, 김대중이 611만여표, 김종필이 182만여표였다.

김영삼과김대중의표를합치면 55% 를 넘었으나, 승리는 12·12와 5·17의 주역 노태우에게 돌아갔다. 성사 직전까지 갔던 후보 단일화가 정말 성사됐다면 어떻게되었을까?

일단 두사람중 누가 단일후보가 되었다 해도 거의 확실히 당선됐을 것이다. 설령 집권당이 대대적 부정 선거를 꾸미거나 패배 이후 쿠데타를 시도했다고 해도 열화와 같은 국민적 저항 앞에 분쇄됐을 것이다. 실제로 1997년선거를 앞두고 김영삼과 김종필이, 2002년선거 직전 노무현과 정몽준이 결별했듯 일단은 한배를 타기로한 김영삼과 김대중 두사람이 결국은 어느시점에서 갈라졌을 수 있다.

그렇다고 해도 군부세력의 잔재는 청산됐을 것이다. 당시의 군부정권은 카리스마적 지도자도, 참신한 소장파도 없이 과거 정권의 비리 색출과 처벌 국면을 맞았을 그들은 공중 분해돼 정계를 떠나거나, 보잘것없는 소수당으로 연명했을 것이다.

그리고 새로운 대통령과 다른 김씨가 이끄는 민주정당, 또는 두 김씨가 각각 이끄는 민주정당이 정국을 주도하며 1990년대의 한국정치사를써나갔을 것이다.

12월 대통령선거에서 대다수 국민들의 기대를 저버리고 김영삼과 김대중이 단일화에 실패하고 각각 출마하면서 노태우가대통령에 당선되었다. 12월 대선은 지역주의가 투표 성향을 압도적으로 지배했다.

지역 주의는 우리 사회 정치적 민주주의의 질곡을 가져왔다. 6월 민주항쟁에서는 미국의 역할로 6월 19일에는 릴리대사를 통해 레이건의 친서를 전두환에게 전달했다. 20일 미 국무차관 더윈스키가 방한한 것에 이어 23일 미 국무부 동아시아 정책실무 최고 책임자인 시거 차관보가 내한해 군 출동 반대 의사를 밝히고 민주화를위한조치를촉구했다.

미국은 한국군의 작전권을 가지 고 있었고 전두환 정권에 대해 큰 영향력을 행사할 수 있기 때문에 미국의 향배는 군 출동에 중요한변수가될수 있다고 볼 수 있다. 하지만 미국은 5·18관련해서는 군사이동과군출동 및 비전투 상황에서도 신군부가 요구한 군 출동 등 모든 요구에 동의함으로서 한국 국민의 엄청난 사상자를 내는데 책임을 면 하기는어렵다고본다.

이러한 민중항쟁은 6월항쟁이후 박종철과 이한열의 사망 사건 이후부터는 촛불시위라는 평화적 항쟁방식으로 변화되어 국민들 목소리로 대변되었다. 촛불시위는 대한민국 자발적 민중 항쟁의 대표적 비폭력 시위가 되었다.

대한민국의 촛불시위는 2008년 5월 이명박정부의 미국산쇠고기 수입재개 협상내용에 대한 반대 의사를 표시하기 위하여 학생과 시민들의 모임으로 출발한 촛불 시위이다.

100일이상 집회가 계속되면서 쟁점이 교육문제, 대운하·공기업 민영화반대 및 정권퇴진등으로 점차 정치적으로 확대 되었다. 5월 2일 첫 집회 이후 2개월간 연일 수백에서 수십만명이 참가하였으며, 6월10일을 정점으로 하여 7월 이후에는 주말 집회가계 속되었다.

시민들은 대부분 광우병 촛불 시위에 자발적으로 참여하였다. 자녀를 동반한 가족단위의 참가도 많았으며, 연예인이나 음악가들이 많이 참가하여 '문화제'적인 모습을 보이기도 했으나 집회가 끝난 뒤 거리행진을 하며 청와대로 향하는 과정에서 경찰과 폭력적으로 충돌하기도 하였다.

시위참가자의 자발적이 고 개방적인 특성을 두고 웹2.0에 빗대어 "민주주의2.0"혹은"시위2.0"등장이라고 부르기도 하였다.

이와 더불어 정권의 시위 과잉진압, 소통없는 정치에 대한 문제가 불거지기도 하였다. 그러나, 일부 언론과 단체의 과장과 왜곡이 섞인 선전 선동이나 근거가 없는 괴담이 문제가 되기도 하였다.

근거없는 괴담과 패트인 사실을 대법판결로 살펴보면 2008년 광우병 사태와 관련하여 MBC PD수첩 제작진이 광우병에 대한 허위사실로 인한 명예훼손 혐의로 기소되었으나 대법원은 이 사건에서 무죄판결을내렸다. 판결문에따르면, PD수첩보도내용중 일부가 허위사실이라고 확인되었지만, 이는 공공성을 근거로 한 보도이기 때문에 명예훼손의 책임을 물을 수 없다는 결론으로 판결 되었다.

사태를 촉발시킨 MBC PD수첩의 광우병 관련 보도에 대해, 2011년 9월 2일 대법원은 "대한민국 국민이 광우병에 걸릴 가능성이 더 크다는 보도"는 명백한 허위 보도이며, 이에 정정 보도를 내보내라고 판결하였다.

2011년 9월5일 MBC에서는 허위사실 보도 사과방송을하였다. 이에 PD수첩제작진들이 반발을 하며 MBC에 소송을 걸었으나, 2016년 7월 14일 대법원은 "쟁점 부분이 허위라고 판단한 1, 2심의 판결이 확정된 이상 사과방송의 중요부분은 사실과합치한다"며 MBC 회사측이 사과에 대한 정정 보도를 할 필요가 없다고 최종적으로 판결하였다.

여기서 공공성이란 일반 대중에게 공개되고 공유되는 사실이나 정보를 의미하며 이는 언론, 방송, 정부, 사회 단체 등을 통해 대중에게 전달되는 내용을 포함 된다고 보았다.

광우병사태와 관련하여 PD수첩의 보도는 국민들에게공공적인 관심사로 다루어졌으며, 이를 근거로 했다는 것은 사회적 이슈로서의 중요성을 강조한 것으로 무죄로 판결을하였다. 또한 MBC PD수첩 제작진이 광우병에 대한 허위사실로 인한 명예 훼손 혐의로 기소되었으나 대법원은 이 사건에서 무죄 판결을 내렸다. 판결문에 따르면, PD수첩 보도 내용 중 일부가 허위사실이라고 확인되었지만, 이는 공공성을 근거로 한 보도이기 때문에 명예훼손 책임을 물을 수 없다는 결론으로 판결했다.

하지만 허위사실로 판결한내용에는 '다우너 소'(주저앉은소)의 광우병감염 가능성에 대한 이 부분은 허위사실로 판단되었으며, 미국 여성 아레사 빈슨의 사망 원인인 이 부분도 허위사실로 판단하였다.

단, 한국인 유전자형과 광우병 감염 확률부분에서는 이부분은 허위사실이 아니라는 원심 판단을 유지했다. 좀 더 구체적 내용을 판결 관련하여 살펴보면 지난 2008년 광우병 위험성을 보도한 MBC 'PD수첩' 제작진이 대법원에서 무죄가 확정됐다.

대법원은 PD수첩 보도 내용 가운데 허위사실이 있다고 확인했지만, 공공성을 근거로한 보도이기 때문에 명예훼손의 책임을 물을수없다는최종결론을내렸다.

이로써 첫보도이후 3년넘게 끌어온 왜곡보도 논란은 마침표를 찍었다. 대법 원형사2부(주심이상훈대법관)는 2일 미국산쇠고기의광우병 위험성에 대해 왜곡·과장 보도를해 정운천 전 농림수산식품부 장관의 명예를 훼손한 혐의 등으로 기소된 조능희 PD 등 PD수첩 제작진 5명에게 무죄를 선고한 원심을 확정했다(2010도17237).

재판부는"보도내용 중 일부가 객관적 사실과 다른 허위사실의 적시에 해당하지만, 국민먹거리와 관련된 정부정책에 대한 여론형성에 이바지할수 있는 공공성있는 사안을 보도 대상으로

한 데다, 보도 내용이 공직자인 피해자의 명예와 직접적인 연관이 없고 악의적인 공격으로 볼 수 없다는 점에서 명예훼손 죄책을 물을 수 없다고 판단한 원심은 정당하다"고 밝혔다.

재판부는 PD수첩보도 가운데 '다우너 소'(주저앉은 소)의 광우병감염 가능성과 미국 여성 아레사빈슨의사망원인, 한국인 유전자형과 광우병 감염확률등 3가지를허위사실로 판단했다.

그러나 특정위험물질(SRM) 수입 여부, 정부 협상단의 태도 등 2가지는 허위사실이 아니라는 원심 판단을 유지 했다. 1심은 "보도내용에 허위사실이 있었다고 볼 수 없다"며 제작진 전원에게 무죄를 선고했다.

2심은 "일부 내용이 사실과 다르지만 고의성이 인정되지 않는다"며 항소를기각했다. 대법원은 이날 'PD수첩'의 정정보도 범위를 축소했다.

대법원 전원합의체는 농림수산 식품부가 MBC PD수첩을 상대로 낸 광우병 보도에 대한 정정·반론보도 청구소송 상고심(2009 다52649)에서 원고 일부승소로 판결한 원심중 피고 패소부분 일부를 파기해 사건을 서울고법으로 돌려보냈다.

재판부는 정부가 미국산 쇠고기의 광우병 위험을 잘 모르거나 은폐했고, 미국에서 인간광우병이 발생해도 정부가 독자적 대응을 할 수 없다고 보도한 내용은 사실적 주장이 아니라 의견표명에불과해 정정보도 청구대상이 아님에도 그렇게 명한 원심 판결에는 위법이있다"고 밝혔다.

그러나 "'한국인은 MM유전자형비율이 높아 광우병 위험이 크다'고 보도한 부분은 허위임이 증명됐고 후속보도에서 정정보도가 됐다고 볼 수 없어 정정 보도를 명한 원심판결은정당하다"고 판시했다.

이처럼 촛불시위의 근본 원인은 국민 먹거리에 대한 공공성이 중시되었고 국민에게 정확한 정보를 주지 않았던 부분에서도 문제가 되었다. 국가정책에 대한 잘못된 집행은 국민적 저항에 심각하게 직면할 수 있다는 사실을 확인하는 사례로 향후 어떤 정권이든 일방적 정 책입안과 집행시 유념해야 된다는 사례를 보여준 국민적 승리 라고 볼 수 있었다.

동시에 촛불시위가 야간에 이어지면서 헌법재판소에서 야간집회금지에 대해 헌법 불합치와 자정까지의 야간 시위 금지가 위헌이라는 결정이 나와 이 시위 이후 합법적으로 야간집회와 야간시위가 개최되고 있다. 이러한 배경에는 촛불 시위사태 당시는 이명박 정부가 출범한지 몇 개월이 지나지 않은 시점이었다.

이명박 정권은 2007년 12월의 대선을 통해서 정권 교체에 성공한 정치집단으로, 참여정부와는 가치지향점이 전혀다 른 보수 성향의 정권이었다. 이명박 정부는 출범하자마자 교육 정책변화를 추구하였다.

또한 대입논술고사를폐지하고 국영수 과목을 강화하는 등의 내용을 골자로 하는 '대학 자율화' 방침을 밝혔다 초중고 자율을 확대한다는 명분을 내세우며 '0 교시 보충수업 허용', '우열반 편성 허용' 등의 정책을 추진했다.

이와 같이 급격한 교육현장의 변혁 추구는 교육 정책의 추진에 있어서 기존에 지켜지던 '3년전 예고제'를 고려하지 않은 처사였기 때문에 진보교육계가 반발하였다.

급진적 정책선회에대한 반발심리로 대입을 앞둔 10대 학생들이 촛불시위 초기에 시 위현장에서 주축이되었다 .촛불집회의 직접적 명분을 제공한 것은 FTA 협상이었다. 2008년4월19일 캠프 데 이비드의 한미 정상 회담을 하루 앞두고 급격한 전면 개방으로 한미 쇠고기 2차 협상이 타결되었다.

이어 2008년 4월29일 문 화방송 PD수첩에서 미국산 소의 위험성을 다룬1차 방송'긴 급취재, 미국산 쇠고기, 과연 광우병에서 안전한가'를 방영하였다. 5월2일 정부에서 전면 개방에 따른 미국산 소고기 안전 성을 주장하는 기자회견을 하였으나 안전조치를 내놓지 않았다.

수입쇠고기의안전성에대한 문제로 본격적으로 시작된 촛불집회는 이명박정부의 전반에 비판과 퇴진 요구로 확대되었다.

민주당, 민주노동당, 창조한국당, 진보신당 등의 정당과 약1,000여 개의 시민단체 및 인터넷카페가 모여 2008년 5월6일 광우병위험 미국산쇠고기 전면수입을 반대하는 국민대책회의 또는 줄여서 광우병 국민대책회의가 결성되었다.

대한민국-미국쇠고기 협상반대 시위를벌였으며 점차 이명박정부의다른 정책에 대한 반대의제도 등장하였다. 2008년 4월 고등학생 100여명이 정부의 '학교자율화' 정책에 따른 0교시 수업 허용 등에 반발하며 모인 것을 계기로 주말마다 서울 청계

광장과 광화문등에서다양한 명목으로 `촛불문화제'가열렸다. 20
08년 5 월2일 인터넷 카페`이명박 탄핵을 위한 범국민운동본
부'의 주최하에 오후 서울종로구에 위치한 청계광장 일대에서
미국산 쇠고기 수입재개조치에 반발해 촛불집회가 열렸다.

　주최 측은 경찰에 이 집회를 참여 인원 300여명 정도의 문화
제로 예상하였으나, 실제 참석 인원은 이를 크게 상회하여 최소
한 1만명에 이르렀다. 다음날인 5월 3일에도 서울을 포함한 대
한민국 각지에서 문화제형태의 집회가열렸다.

　하지만 여러 사회단체가 각자 집회를 진행하는 과정에서 시위
의 진행방향 에 대한 논란이 일기도 하였다. 전신고된것에한해
일몰전까지만허용하고,문화제 형식의 야간 촛불 집회는 정치적
구호를 외치거나 피켓을 드는 등의 행위를 할 경우 개입하겠다
고 다시 발표하였다.

　이후 5월 17일 청계광장에서 1만명 이상이 모인 집회가 있었
으며, 김장훈, 윤도현, 이승환 등의 가수 등도 참석하였다. 서울
시교육청의 현장지도 방침에도 불구하고 많은 수의 학생이 집
회에 참여 했다.

　또한 시위에 참가한 시민들은 무저항 불복종 운동의 한 방법
으로 연행 요청 시에 저항하지 않고 동행하는 이른바 '닭장투
어'로 저항의 뜻을 표출하기도하였다. 임의동행한 시민들은 모
두 48시 간 내에 훈방되거나 불구속 입건된후 풀려났다.

　촛불시위에 참여한 예비군·넥타이부대도 등장했다. 5월31일에
는 5만명 이상의 시민이 시청앞 광장에 모였으며, 역시 가두시
위로 확대되었다. 시위대는 크게 세 갈래로 나뉘어 청와대와 연

결된 주요길목으로 향했으며, 밤새 경찰과 대치했다. 시위대가 청와대로 나아가는 와중에 일부 과격시위의 모습이 보이기도 하였으나 참여한 시민들의 자체적 자정노력으로 진정 되었다. 그러나 경찰은 이런 모습에 민감히 반응하는 모습을 보이며 물대포로 물을 발사하고, 소화기를 뿌려 대응하여 부상 자가 발생하였다.

국민대책회의 홈페이지에는 이날시위에서 쇠파이프, 각목 등이 등장한 것을 성토하는 글이 여러개 게재됐다. '과격시위'의발단인시위대의심야청와대 진격시도에대한 비판도 하나, 둘 제기되고 있다.

시민들은 6월5일 목요일부터 6월8일 일요일까지 서울시청 앞 광장을 중심으로 72시간 동안 연속으로 릴레이 시위를 벌였다. 시위참가자중일부는텐트를치고 철야시위에 나서기도 했다.

연휴 첫날인 6월 6일 현충일 시위에는 사상 최대인 경찰 추산 5만6천여명, 주최 측 추산20만여 명이참가하였다. 당시 촛불시위의 조짐은 2008년 5월2일이었다. 시중의 공기가 심상치 않았다. 이명박 정권은 출범하자마자 온갖 부당한 정책을 강행하고 있었다.

무엇보다도 국민의 건강·안전 문제와 관련된 광우병 위험 우려가 있는 미국 쇠고기를 30개월 이상까지'묻지마 수입'하려는 실로 무모한 정책을 추진하고 있었다.

당연히 국민들은 걱정하고 우려했지만, 정권 초기라서 시민행동에 나서는 것을 주저하고 있던 그때 ,많은누리꾼(네티즌)들과 중고생들이 먼저 나섰다. 온라인 곳곳에서 시민행동을 너나 할 것 없이 집단 지성으로 제안하고 토의하던 그 흐름은, 5월2일 그동안 한국 역사에서 볼 수 없었던 서울 청계광장 대규모 촛불시위로 이어 졌다.

당시의 처음 촛불시위에는 깃발도 없었고 리더도 없어 보였다. 지극한 평화로움 속에서 이명박 정권에 대한 항의가 있었다. 2016년 10월29일 청계광장을 가득 메운 그 뜨거웠던 촛불의 배경이자 원조가 2008년 5월2일 청계광장 촛불이었던 것이다.

그렇게 시작된 2008년 촛불항쟁은 향후에 수십만, 수백만명의 범국민적 참여로 이어졌고 8월까지 계속되었다. 이명박 정권처럼 국민 위에 군림해 잘못된 정책을 함부로 자행하게 되면 '큰 일 난다'는 강력한 경고를 국민들이 던져 주었다.

그렇게 우리 국민은 대규모 항쟁의 역사와 경험을 또 하나 쌓게 되었다. 촛불 시민혁명은 박근혜정권에 대해서 탄핵을 요구하는 촛불시민혁명이 일어났다.

지난 3월에는 이명박 전 대통령의 구속까지 이끌어낸 항쟁의 역사에서2008년 촛불 항쟁이 가지는 의미는 매우 크다. 먼저, 평범한 국민들이 주도 하는 촛불집회라는 새 역사를 만들어갔기 때문이다. 시민사회 단체들과 사회운동 진영도 최선을 다해 참여했지만, 역시 압권은 당시 중·고등학생들과 깨어 있는 네티즌들, 그리고 평범한 주권자들의참여였다고 할 것이다.

비록 정권초기였고,이슈가 건강 문제로 국한되었고, 당시 정치적 전망이 불투명했다는점 등의 한계가 있었지만 그성과도 작지않다. 이로서 상대적으로 안전해진 수입 및 검역 조건과 저렴한 가격으로 미국산 쇠고기 수입량이 늘어날 수 있 었던 배경

역시 촛불국민들이 만들어낸 것이다. 그런데 미국산 쇠고기 수입량이 늘어나고 최근 광우병 발병 사례가 많이 줄어 들었다는 것만을 근거로 2008년 촛불집회와 수백만 촛불 국민 들을 폄훼하고 음해하는 시도는 일부 과장된 표현으로 볼 수 있다.

대법에서 판결한 것은 한국인의 체질상 광우병이 잘 걸 릴수 있는 체질이라는 단적인보도에 대한 과학적 근거가 없다는판결이지 광우병관련문제가 없다는 판결이 아니기 때문이다.

이로서 정부는 국민건강을 임의로 결정하는 정책에 대해 다시 한번 심사숙고하는 계기가 되었다는데 의의가 있다. 세계무역기구(WTO)의164개 회원국은 검역주권을 향유한다.

광우병 검역 촛불은 태평양 너머 미국 육류작업장에 있는 미국산 쇠고기를 겨냥한 것이 아니었다. 이 나라 정부가 국민이 위임한 주권인 국민 건강관련 검역주권을 잘못 행사한 것에 대한 분노였다.

일부 신문에서는 2008년 5월 13일 기사1면에서"정부 동물성 사료 사용규정에 대한 오역에 따른 "쇠고기 협상 총체적 부실"이라고 썼듯이, 이명박정부의 잘못된 대미협상이원인이었다.

WTO 등 국제기구에는 국민의 생명, 건강, 안전 관련 정보를 국민과 소통하는 규정이 있다. 이를'위험 정보 소통'이라고 부른다. 이는 정보의 일방적 전파가 아니다.

정부와 시민을 포함한 모든 이해 관계자들에게, 그리고 그들 사이에서 적시에 의견과 정보가 교환되고, 정책결정에 반영되도록 해야 한다. WHO가 이 가이드 라인을 만든 때가 1995년이다. 그러나 이명박 정부는 오히려 은폐했다. 미국에서 광우병이 다시 발생한다고 해도 수입금지 할수 없게 했다는 내용도 밝히지않았다.

일본이 지난 4월13일, 방사성 물질오염수를 2년 후쯤바다에 버리기로 결정했다. 국민의 우려가 매우 높다. 일본의 태도로 볼 때, 한국은 앞으로 1년안에 매우중요한결정을 해야 한다.

일본의 오염수방출을 받아들일지아니면 방출중단을 요구하는 국제소송을 제기해야 할지를결정해야 한다 .이결정은 한국인의 밥상과 수산업 그리고 앞으로의 한·일관계에 매우 중요한 영향을 줄 것이다.

그러므로 보편적인 국제기준에 따라 해당정보를 모든 이해관계자들에게 적시에 공개하여 의견과 정보가 결정에 반영되어야 한다. 방사능오염수 문제해결에대한 합리적 여론형성이 가능하려면 관련정보를 지금 투명하게 공개해야 한다.

그럼에도 우리나라는 외교부와 원자력안전위원회는 일본 방사능 오염수 정보 공개를 거부했다. 원안위는 일본 원자력규제위원회가 모호한 답변을 하거나 답변을 지연할 수 있다는 이유로 거부했다.

일본이 그런 잘못을 저지른다면 일본이 불법을 쌓는 일이다. 그 누구든 2008년의 광우병검역 촛불 앞에 겸손해야 한다. 국민은 생명과 안전에 관한 정보를 그저 정부로부터 전달받는대상이 아니다라는 사실을 정부는 깊이 인식하고 국민의 뜻에 합당한 결정과 정책을 세워야 할 것이다.

일본 방사능 오염수 방출 문제에 대응하고 있는 외교부와 원안위는 위험성 정보소통 원 칙을 준수해야 한다. 촛불시위는 광우병이외에도 박근혜대통령에 대한 탄액도 제18대 대한민국 대통령 박근혜가 직무집행에 있어서 헌법과 법률을 광범위하게 그리고 중대하게 위배 하였으므로 헌법을 수호하고 손상된 헌법질서를 회복하기 위하여 헌법 제65조 제1항에 따라 대통령 박근혜를 탄핵하여 파면한 사건이다.

이후 직무정지 이후 총리 대행체제를 거쳐 대통령에 복귀한 노무현 전대통령의 사례를 제외하고서 대한민국헌정사상최초의 국가원수파면으로기록되기도 하였다..

대한민국 제18대 대통령 박근혜는 개인적인 은인이라는 영세교 교주 최태민의 딸이자 후계자인 최순실을 어떠한 적법한 절차도 없이 대통령으로서의 중요한 의사결정과 국정 운영, 인사문제 등에 광범위하게 개입시켰다.

비선 실세인 최순실이 부당한 권력을 바탕으로 사적인 이익을 취하고 국정농단을 일삼는 것을 방조하였다. JTBC의 최순실 태블릿 보도이후 바로 당일을 기점으로 하야와 탄핵키워드가 실시간 검색어에 올라오면서 국민적 관심이 고조 되었다.

야권에서는 대통령이 스스로 내려 오는 하야를 위주로 언급했다. 노무현 대통령 탄핵소추 및 심판과 관련한 조심성에서 비롯된것으로, 역풍이 불지도 모른다는 우려를 한 것으로 보인다. 정치권 내에서는 당시 성남시장 이재명이 처음으로탄핵언급을 하기시작했다. 당시까지 박근혜 대통령에 대한 시위에서 나온 주장의 대부분은 사실관계 진상규명 및 책임지고 하야하는것이었다. 정치권에서도 처음에는 박근혜의 대통령 권한을 정지시킨 뒤 거국중립내각을 구성 해서 남은 임기 동안 국정을 운영하는 방안을 제시했고 10월 30일에 여당인 새누리당도 이를 받아들여 청와대에 거국중립내각 구성을 촉구하기로 했다.

그러나 11월 9일 청와대는 하야는 절대 없으며, 차라리 탄핵을 하라라는 입장을 내놓으면서 강하게 나오기 시작했다. 끝내 박근혜가 하야하지 않을 것임을 드러내 면서 결국 탄핵절차 외에는 방법이 없는 상황을 만들었는데 대통령으로서의 체면을 지킬 수 있는 마지막 기회까지 걷어찬 것이다.

당시 청와대가 정말 국민 여론이 어떻게 돌아가는지 모르고 있었을 가능성도 있긴하지만 몰랐다는게 잘했다는 뜻은 아니다. 11월 20일 야권 대선주자 6명과 정의당대표 심상정의원, 국민의 당 전공동대표 천정배의원을 포함한 8명이 모인 비상시국 정치회의에서 "국민적 퇴진 운동과 병행해 탄핵 추진을 논의해 줄 것을 국회와 야 3당에 요청하겠다"고 밝히면서 탄핵 추진을 촉구했다.

2017년 3월 31일 새벽 3시 4분경 서울중앙지법 강부영판사가 구속영장을 청구해 읽 한다는 대한민국 검찰청 측의 주장을 받아들여 구속영장을 발부했다. 이로써 검찰은 박근혜의 신병을 확보할 수 있게 되었다.

박근혜의 수인번호는 503번을 발급받았다. 검찰은 구속 5일 후인 2017년 4월 4일부터 박근혜 대통령을 조사하겠다고 밝혔다. 구속 5일 후인 4월 4일 검찰은 서울구치소에서 박근혜에 대한 출장 조사를 실시했다. 조사의 주체는 한웅재 부장검사였으며 박근혜 쪽에서는 유영하 변호사가 같이 조사에 임했다. 박근혜는 이 조사에서도 계속 자신의 혐의를 부인한 것으로 알려졌으며 이틀 후인 4월 6일 두 번째 출장조사에서도 혐의를 부인하는태도를 버리지 않았다.

그런데 이 조사에서 박근혜로부터 상당히 중요한 진술이 나왔는데 자신이 최순실에게 속고 이용 당했다고 주장했다. 한편 검찰은 4월 7일, 9일로 만료되는 박근혜의 구속기간을 10일 더 연장 하 기 위해 법원에 구속기간 연장신청서를 제출했다.사유로는 뇌물죄 수사를 보강하기 위한 목적이라고 하며 법원에서도 신청을 받아 들였다.

검찰 특수본은 4월12일까지 총5회 박근혜에 대한 출 장 조사를 벌였다 .2021년 1월 14일 재판이 모두 마무리되었으며 재판 결과에 따라 박근혜는 2039년 3월 30일까지 수형생활을 하게 되었고 벌금 180억원, 추징금 35억원도납부해야 한다.

형법은 판결 확정일로부터30일 이내 벌금과 추징금을 납부하도록하여 2021년 2월 22일까지자진납부기간이었다. 하지만 박전대통령은벌금자진 납부기한에 벌금과 추징금을 완전히 내지 않은 것으로 알려졌다.

이에 서울중앙지검은 박 전 대 통령을 상대로 강제집행 방법을 검토한 것으로 알려졌다. 우선 검찰은 재판 과정에서 추징보전 청구로 확보해 동결한 재산에 대한 환수절차를 밟을것으로 보였다.

동결재산은 2018년기 준공시지가가 약 28억원의 서울내곡동 자택과 유영하변호사가 맡고있었던 30억원 상당의 수표 등이다. 이는우선 35억원의 추징금으로 활용되고 남는 경우180억원의 벌금 집행에 활용된다. 이렇게해도금액이 모자라면 원칙적으로는 최대 3년간 교도소내 노역이 불가피하다. 노역장 유치가 집행되면 기존형의집행은 정지 될 수 밖에 없고 형기도 사실상 늘어나게 된다.

박 전 대통령은 지난1월14일 대법원에서 징역20년에 벌금180억원, 추징금35억원을 확정받았다. 검찰은 박 전 대통령 측이 정해진 기한까지 추징 금을 납부하지 않자 집행을 위해 내곡동 자택을 압류 등기한 것으로전해졌다.

형법상벌금은판결 확정일로부터 30일 이내에 납부해야 하며, 벌금을 내지 않으면 최대 3년간 노역장에 유치된다. 또 추징은 불법행위로 취득한 재산을 몰수할 수없을 때 그에 상당하는 금액을 강제로 환수하는 조치로, 벌금추징금을 내지 않으면 검찰은 강제집행과 은닉재산 환수 등의 조치를 할 수 있다.

박근혜는 국정농단의 책임과 관련하여 헌법절차에 의해서만 책임을 물을 수 있다는 부정적이고 오만한 태 도로 일관하였으며, 자신이 임명한 검찰총장에 의한 수사 결과도 전면 부정함으로써 법치주의의 수호라는 국법질서의 본질을 중대하게 훼손하였다.

결국 헌법에 위배 되는 범죄의혹(박근혜정부의 최순실 등 민간인에 의한 국정농단 의혹사건, 비선 실세의혹, 대기업 뇌물의혹등)을사유로 대통령 박근혜에 대한탄핵소추를발의해 헌법재판소에서탄핵을 인용하였다. 결국 2016년 12월 9일 오후 4시10분에 탄핵소추안이 국회에서 가결 되었다. 그리고 같은 날 오후

7시 03분에 박근혜 대통령은 국회로부터 탄핵소추 의결서를 받는 동시에 헌법상 대통령 권한행사가 정지되었다. 이로 인해 국무총리가 대통령 권한대행을 맡게 되었다.

2017년3월10일, 헌법재판소는 재판관 전원일치로 대통령 박근혜 탄핵 소추안을 인용해 박근혜는 대통령직에서 파면 되었다. 현직대통령에대한 탄핵인용은 이 결정이 처음이다

제 05장 손난로

서울의 대학가는 연일 "민주 쟁취!, 독재 타도!"를 외치며 대학가의 대학생들은 연일 시위하였다. 사회는 급속도로 혼란속에 빠졌다. 경성대학교 국어국문학과에합격한 수혜는 대학 신입생 생활을 시작하였다.

아직은 추운날씨로 입김이 나오고 반사적으로 손은 입으로 가져간다. 입김의 따뜻함에서 얼었던 손이 조금은 풀린다. 수혜는 항상 가져다니던 손난로를 꺼내 볼과 손바닥에 갖다 된다. 따스한 온기가 전해온다. 손난로는 손 때가 묻어 있지만 곱게 손수건에 쌓여 수혜의 필수품이 된지 수년이 넘었다.

고3 마지막 학창시절 대입과 본고사를 민수와 함께 보러가면서 민수가 수혜에게 시험 잘보라고 준 리필용 손 난로 선물이었다. 수혜는 이런선물을 추운날씨가 아니어도 항상 가방에 넣고 다니며 힘들 때 한번씩 꺼내 볼과 손바닥에 비벼 본다. 그러고나면 좀마음이 차분해지고 따뜻한 느낌이 와서 좋았다.

이후 민수는 군에 가고 수혜는 대신 손난로를 가지고 다니는 습관이 생겼다. 힘들고 지칠 때 수혜는 항상 손난로를 만지작되며 마음을 안정시키는 필수품이 되었다. 오늘도 예외없이 수혜는 대학 간 연계된 지하 이념 써클인 '사상과 문학'에 가입하여 밤새 토론하고, 낮에는 군부독재에 맞서 싸웠다.

시위에 참석할 때도 토론할때도 항상 가방에 넣고 다니는 습관이 되었다. 유인물을 만들고 이념과 문학을 탐독하면서대학 간 연계하여 독재정권에 저항하였다. 시위대에 선배들과 동기들과 함께 참석하면서도 다행히 잡히지 않고 있는 것은 손난로를 준 민수가 지켜주기 때문이라는 생각이었다.

시위대에서 독재정권에 저항하다 잡히면 대부분 투옥, 고문, 폭행, 남녀를 불문하고 성추행 등을 당했다. 수혜도 동기와 선배들과 함께한 시위 진영에서 진압군에 쫓길 때도 있었다. 진압군의 지휘관은 쫓기는 대학생을 보며 무조건 잡으라며 소릴 쳤다. "시위하는 놈들은 다 빨갱이다! 사정 보지 말고 두들겨 패서 끌고 와!"라며 소리쳤다.

끌려간 수혜 선배들과 동기생 여학생은 머리채를 잡혀 끌려다녔고 남학생은 속옷만 입혀 모두 손목을 묶어 끌고갔다. 한번 끌려 갔다온 사람들은 정신적, 육체적 구타와 고문 그리고 인간성말살 등으로 몸과 마음은 트라우마로 힘든 나날을 보냈다.

진압군의 고문과 살상 그리고 성폭력과 성추행 중에는 지휘봉으로 여학생 옷깃을 들치며 성추행도 하였고, 성폭행도 당한 사람이 있다고 소문도 났다. 진압군은 젊은 사람들만 보면 모두 끌고갔다. 진압군은 시위 군중에게 최루탄을 정조준하여 무차별적으로 발사했다. 한때 쫓기던 수혜도 골목길로 가서 문이 열린 상점 안으로 들 어가 피해 숨어있다가 겨우집에 온적도 몇 번 있었다.다음날 저녁 수혜는 학교 선배들과 동기생들도 함께 군부독재에 맞서 시위 군중으로 거리로 나갔다. 수혜는 그녀의 마음속 깊은 곳에서부터 용기를 내었다. 그녀의 손에는 촛불이 늦은 저녁의 어둠을 비추고 있었으며 어둠은 대지에 내리 깔려 있었다.

그리고 그녀의 손에는 희미하게 떨리는 촛불이 들여 있었다, 그녀의 눈앞에는 수많은 사람이 모여든 광장이 펼쳐져 있었다. 그녀는 이 순간을 위해 오랜 시간을 기다려왔다.

독재정권에 맞서는 시위대의 일원으로, 그녀는 자신의 목소리를 높여 구호를 외칠 준비가 되어 있었다. "우리의 자유와 민주주의에 대한 정의로움에 대한 갈망의 목소리는 더 이상 침묵하지 않을 것입니다!" 수혜는 군중 속에서 외쳤다. 그녀의 목소리는 단호하고, 강력했다. 그녀는 자기 말에 힘을 실어, 주변사람들에게용기를북돋아주었다.

시위대는 하나의 목소리로 응답하며 그들은 함께 구호를외치며, 발걸음을 굳건히 하여 넓은 광장을 가득 메웠다. 수혜는 시위대의 동료들과 어깨를 나란히 하고, 그들의 결의에 불을 지폈다. 그녀는 이 순간을 통해, 자유와 정의를 향한 그들의 투쟁이 결코 헛되지 않을 것임을 알고 있었다.

그녀는 자신의 신념을 위해, 그리고 모든 사람의 자유를 위해 계속해서 싸울 것이라고 하였다. 수혜는 독재 정권에 맞서는 용감한 시위대의 일원으로서, 그녀의 행동과 결단이 시위양상의 변화를 불러오는 중요한 역할을 한다는 사실을 잘 알고 있었다. 그녀의 용기와 희망을 통해 사람들에게 자유의희망을 주는 계기가 되었다.

제 06장 벗꽃

민수는 입대 후 임관하여 자대 배치를 받고 복무 중첫 휴가를 나왔다. 5월의 하늘은 맑고 쾌청했다. 또한 가로수의 벗꽃은 바람에 휘뿌려 날리며 이전 학창시절때를 생각나게 하였다. 수혜는 민수를 학창시절에 같이갔던 분식집에서 이번주목요일 오후 1시에 만나기로 하였다. 분식집으로 12시쯤되어 1시간 일찍 도착했다. 주인 아주머니는 수혜를 알아보고 반가워했다.

"아가씨!남자친구는같이안왔어요?"라며 남자친구는 같이 안 왔냐며 소식을 물었다. 조금 있으니, 베레모를 쓴 군인이들어왔다. 주변을 살피고는 수혜있는 쪽으로 왔다. 순 간 수혜는 가슴이 뛰고 당황했다. 군인은 수혜를 보자, 거수경례 하였다.

'앉아도 되겠습니까?'라며 굵고 짧게단호한 목소리로말했다 . 민수는 베레모를 벗고 외투를벗어 옆에 놓았다. 수혜는 너무 놀라 고반가웠다 .수혜가 민수군에 간다는 것을 들어 알고 있었지만, 민수가말해 주지 않았기 때문이다.

"야 !민수! 너 정말 이래도 되는 거야? 놀랬잖아! 나잡으러 온 줄 알고!,"그래 2년간 한 번도 연락도 안 하고 갑자기 오고…" 라며 자신도 모르게 큰소리로 말했다. 수혜는 내심 너무 반가웠다. 수혜는 민수가 군복 입은 모습이 멋있어 보이고 믿음직해

보였다. 친구들에게 보여주고 싶었다. 민수는 스스로 자신을 믿고 준비하였든 대학에 실패하고 괴로워했든 민수가 아니었던가! 그런 민수가 단단한 누에고치 안에서 스스로 나오 려고도 하지 않았던 민수가 안타까웠지만 스스로 이겨내기만을 기다려 주는 방법 말고는 없었다.

애벌레가 고치 밖으로 나오기를 거부하듯! 수혜는 그토록 가슴 저리며, 얼마나 기다렸던가!. 그런 민수가 이제 수혜 앞에 자신감과 당당함 그리고 씩씩함으로 나타난 것이다.

수혜는 민수가 너무 대견하고 고마웠다."민수야!, 잘 이겨내 줘서 고마워!"수혜는 마음속으로 말했다. 이윽고 민수가 먼저 수혜에 말을 건넸다.

"수혜야!, 예전 일은 미안하다!"민수는 말했다. 조용하지만 끊고 맺음이 분명한 군인 말투였다. 수혜는 "괜찮아! 민수야!"라며 수혜가 말했다. 둘은 분식집에서 예전에 먹었던 맛있는 것을 먹고 그동안의 서로 간의 이야기를 하였다. 앞으로 목표를 이루면 그때 당당히 만나자고 서로 약속하고 헤어졌다.

민수는 부대에 복귀하여 부대내 분위기 에서 영내외의 사회 분위기가 심상찮게 돌아가고 있다는 느낌을 받았다. 평소 훈련보다 높은 강도의 진압이 시행되고 있었다.

민수의 특수부대는 진압부대로 타부대의 차출된 요원들이 진압훈련을 받으러 오면서 점차많아지고 강도 높은 진압훈련을 받고있었다. 대검을 총에 착검하고 진압봉과 진압방패를 든채 진압과정을 무한 반복하며 훈련하였다. 아마 곧 진압에 투입될 수 있을 거란 소문이 부대 내에서 파다하였다.

데모 진압에투입되면 수혜도 대학생 데모에 가담하고있을것
인데 하는 걱정이 순간들면서 어떤경로든 이사실을 수혜에 알
려절대시위대에 가담하지 말라고 해야했다.

하지만 외부와 철저히 통제되어 격리된 특수부대에서는 달리
전할 방법이 없었다. 민수부대는 진압부대로 시위군중에 투입되
었다. 시위대 또한 대학생으로 민수의 친구들 또래였기에 안타
까웠다.

시위하는 사람들은 전부 북한의 지령을 받고 적화통일을 목표
로 하는 빨갱이라고 정신교육을 받았으나 민수는 이성적인 수
혜가 결코 그러한 지령 하에 움직이지 않는다는 사실을 잘 알
고 있었다.

군사정권이 자신들의 정권을 합리화하고 정당화하는 변명에
불가하다는 사실도 잘 알고 있었다. 하지만 어쩔 도리 없이 데
모 진압 명령에 따를 수밖에 없었다.

서울쪽 시위대의 진압 선발대에 선발된 민수는 보호장구와 진
압봉과 진압방패와 대검을 총에 착검하고 현장에 투입되었다.
부대에서 수없이 반복된 진압 과정을 훈련하였으며 시위가 과
격해지거나 총기류를 사용하면 자동 반응으로 즉시 응사하며
사격을 가하게 훈련되어 있었다.

민수가 있던 특수부대는 마치 인간을 살인병기로 만들고 있었
다. 여기에 무한 반복훈련은 이미 인간의 한계를 넘어서고 있었
다. 하지만 민수는 훈련받은 대로 또래 대학생들을 진압할수 없
었다. "야, 임마! 너,지금 뭐해!"뒤에서 부대 지휘관은 민수의

형식적인 진압형태에 소리치며 가차 없는 발길질과 진압봉으로 구타하였다. 시위현장의 상황은 진압군이 발사한 최루탄을 피해 도망하다 머리채를 잡힌 여성들도 있다.

순간 민수는 또 다른곳으로 도망가는 여대생이 수혜임을 직감으로 알 수 있었다. 잠시 정신을 차리고 골목길로 가도록 두면서 다른진압군에의해 잡히지 않도록 민수가 먼저 수혜 뒤 옷깃을 잡아끌었다. "살려주세요!"라며 수혜는 외마디를 외쳤다.

진압 복장을 한 민수를 알아보지는 못했다. 민수는 골목 상점 문이 열린 곳에 수혜를 숨겨주고 나오지 말라고 하며 떠났다. 이후에도 당시의 일을 민수는 수혜에 말하지 않았다.

민수는 다리 힘이 빠지는 듯하였다. 몇일후 민수는 다른지방지역으로 출동명령을 받았다 .수송기로 몇시간 걸려간곳은 광주였다. 당시 극비명령을 하달받은 민수부대원들은 처음에는 장소와 시간조차도 어디로 가는지도 극비라 알수 없었다.

다만 진압군 중에 광주에 사는 동기가 옆에 있는데 수송기 창밖을 보니 호남평야와 큰 건물이 자기 고향인 광주라고 하였다. 모두가 친구고 친척이고 동네 분들인데 빨갱이라고 하며 진압하라고 하는 말에는 거짓 말이라고 생각 하였다.

계엄군이 이처럼 광주에 와서 강경 진압을 하는 작전명 "화려한 휴가"와 "상무충정작전이 있었다. 당시의 시기적으로 충정작전과 화려한 휴가는 모두우리 역사 에서 중요한 사건과 관련된 작전으로 두 작전은 서로 다른 시기와 상황에서 사용되었다.

'화려한 휴가'는 1980년 5월18일의 작전으로 계엄군이 광주 전면점령을 진압하기 시작한 작전명이다. 이 작전에서 계엄군은 광주시민에게 총을 발포하고 대량 살육의 진압이 이루어졌다.

'상무충정작전'은 1980년월27일에 전개된 작전으로 공수부대가 전남도청에 남아 있는 시민군의 전멸을 위한 재진입 작전투입으로 인간사냥인 살육적 진압이 발생했던 작전명이다.

재진입 작전 수립 경위는 1980년 5월 23일 오전 9시 계엄사령관 이희성은 광주 재진입작전을 논의하였고, 곧이어 정호용 특전사령관이 합석하여 광주 재진입 작전의 구체적 실행방법을 의논하고 5월 25일이후에 작전 개시하도록 결정하였다.

5월23일 전두환은 정호용을 통해 "희생이따르더라도 광주사태를조기에 수습해주십시오"라 는 내용을 전달 하였다. 당시 광주에서는 시민군과 계엄군간 대치가 강대강이었다.

그때 어디쪽에서 인지는 모르는 총소리가 났다. "탕!,탕!, 탕!" 세 발의 총소리가 들렸다. 민수는 순간 우려했던 상황이 발생하였다는 것을 직감적으로 알았다. 총소리가 나면서 진압군 내에서도 반사적으로 시위대에 대해 정조준 사격이 시작되었다.

사복입은 군인은 광주 항쟁 투입시 특수 임무조가 민간인신분으로 위장하고 침투하여 정보수집등을 하고 있다고 생각했다. 이후 1980년 5월 21일, 계엄군은 전남도청 집단발포 사건이후 상부의 지시에 따라 광주시 외곽으로 잠시 철수후 5월 21일부터 다시 광주외곽 봉쇄작전을 펼쳤다.작전 도중 계엄군과 시민군간의 발포가 여러차례 발생해 사상자가많이발생했다.

당시에 계엄군이 떠난 광주 시내에는 '시민자치시대'가 열렸다. 같은 달 21일 밤, 광주시내에서는 '학생 수 습위원회', '시민 수습위원회'가 구성됐다.

시민수습위원회는 주로 군부와의 협상과 시민설득을 담당했으며, 학생수습위원회는 무기회수, 치안유지 등의 업무를 맡았다. 5월 22일 오후1시 지역유지, 종교인, 각계인사 15명은 정부에 평화적인 사태 수습을 위해 협상을 요청했고 7개항을 제시하였다.

또한 5월22일 오후부터무기 회수작업이 시작됐고, 광주시민들은 자체적인 방범 활동을 했다. 5월 26일 새벽5시, 탱크가 광주시내로 진 출하기시작했다. 시민수습위원들이 일단 탱크 앞으로 행진해 탱크 진입을 막아냈다. 계엄군 측에서는 27일 새벽부터 작전이 수행될 것을 경고했다.

계엄군의 도청재진입은관련 부대가 5월26일 전두환을 방문해 재진입 작전에 필요한 민간인 가발, 예비군복 및 수류탄 등을 지원받고 전두환에게 작전내용을 보고했다.

수류탄과 항공사진을 지원받은 특임부대 요원들은 광주 비행장에도착, 민간시위대에 침투하여 정보수집과 맡은 임무를 수행하였다. 재진입 부대장은 예하 부대원을 격려함으로써 재진입 작전준비과정을 마무리하고 작전개시는 5월26일 오후에 하기로 하였다.

광주 시민은 최후의 항전을 준비하여 최종 전남도청에서 150여명만이 남아 끝까지 항전하기로 결의 했다.계엄군측에서는 5

월27일새벽 2만317명으로 일제히 진입했다. 5월 27일 오전 4시경 전남도청에 도착, 시민군에 무차별 총격을 가해 도청을 점령했다. 7 공수여단은 광주공원을 점령하고, 11공수여단은 전일빌딩과 관광호텔을 저항없이 점령하였다. 이어 6시 20분 YWCA 건물을 총격전 끝에 점령했다.

이 작전은 광주시민들의 저항과 많은 목숨을 빼앗아간 희생의 작전으로 중요한 역사적 사건중 하나였다. 이후 5월 27일 새벽 공수부대의 진압작전으로 광주항쟁은 종결되었다.

비공식 희생자는 사망자165명, 행방불명자65명, 상이후 사망자376명 등 606명으로 집계되었으나 암매장자 및 미신고 인원을 고려했을 때에 더 많을 것으로 추정된다.

이러한 과정에서 다른지역의 시위에 대해 점차 갈수록 시위와 진압이 과격해졌다. 사방에서 피 흘리고 다치고, 죽은 사람들이 속출하였고, 특히 젊은 대학생의 남녀가 피 흘리고 쓰러져 있거나 죽어있는 시신들이 널려 있었다.

민수는 본인도 모르게 몸이 반응하는 대로 움직였다. 진압군은 최루탄을 쏘며 최루탄 연기로도망하는 데모군중을 쫓아 시위대에 가차없이 진압봉을 휘둘렀다. 순간 건너편의 한 여학생이 최루탄 연기와 진압군에 쫓겨 골목길로 도망하는 모습을 보았다.

지휘관은 민수를 보고 말했다. "예! 인마, 저놈들 빨리 쫓아가 잡아!" 민수에게 명령했다. 하지만 시민군이 민수를 외워 쌓으면서 분위기가 험악하여졌다. 이내 마침 같은 민수의 팀원이 오면서 위기를모면하게되었다. 자신이 그러한 상황에서 느끼는 공포감은 군인이 아닌 시민군이 군인인 계엄군에게 느끼는 공포감보다 적을 것으로 생각했다. 민수는 가능하면 지휘관이 없는 곳에서는 골목으로 시민군을 유도하여 숨겨주는것으로 하였다. 만약 잘못되면 지휘관으로부터 사살 될 수가 있는 상황을 수 없이 봤기에 조심스럽게 대응 했다.

광주 출신인 동기 역시 민수처럼 하였다가 사살되었기에 안타까움을 더했다. 동기생이야말로 다 아는 사람이고 동네 사람을 어찌 잔인하게 진압할수 있겠는가 누구도 여기에 답할 수는 없을것으로 생각 하였다.

시위와 진압은 갈수록 치열해지고 진압 역시 강경대응을 하였다. 길가에는 속옷만 입고 쓰러져 있는 남자 대학생들과 그리고 고개를 숙여 바닥에 웅크리고 있거나, 온통 흰 원피스가 피로 얼룩져 있고 입고 있는 옷들은 차마 볼 수 없을 정도로 흩뜨려져 있는 모습이었다.

갈수록 시위대의 피해가 커졌다. "야! ,자식들아! 똑바로 고개 못 숙여!"라며 진압군은 발로 걷어차며 남학생의 어깨를 사정없이 진압봉으로 내리쳤다. "악!" 외마디 비명이 들렸다.

거리에는 피 흘리며 쓰러져 있는 사람 중에도 아이들도 그리고 어린 여학생들도 있었다. 피를 본 진압군은 미친 것 같았다.

"아! 씨발!, 때려잡아도, 빨갱이 새끼들은 왜이리많은거야!"라며 옆에진압군은 혼잣말로 씨부러 됐다. 민수 옆에 있던 동기는 여자 친구도 대학생인데 아마 시민군으로 참석했을 것이라며 맞부딪치면 어떻게 할 것인지 갈등하였던 기억이 났다.

진압군인 계엄군이나 시민군 모두가 광주 민중항쟁의 최후 항전에 임했다. 시민군 중에는 특수부대 장교 출신인 김중령도 있었다. 그는 시민군들에게 사격 방법을 가르쳐서 전남도청 앞에서 계엄군과 맞서 싸울수 있도록 총기류시범을 보여주며 함께 싸웠다.

광주에온 진압군 중에는 김중령의 동기도 있었다. 동기는 그를 비난하며 군인정신을 모두 저버리고 왔다고 하였다.

하지만 김중령은 광주 출신이었고 광주 출신이 아니라도 군인이 잘못된 명령에서 무조건 따르는 것은 그 자체가 군인 본분을 저버리는 것이기 때문이라고 하였다.

그는 부대를 이탈했고 군복을 벗고 시민군으로 들어가 있었다. 그는 군출신이었지만 명령에 살고 명령에 죽는 잘못된 인식보다 그의 선택은 국민을 지키고 국가의 안위를 지키는 것이 바로 민주화를 위한 것이고 그것이 바로 군인의 본분이라고 생각했다.

김 중령을 찾아온 진압군 동기는 그 자리를 떠나고 서로 마주치지 말라고 경고를 하였다.

이에 김중령은 자신의 올바른 신념에 따라 알아서 행동하라고 하였다. 그는 결국 시민들과 함께 민주화를 위해 싸우기로 결심한 것이다.

김 중령은 비난하며 떠나려는 동기에게 말했다. "우리는 군인이지만, 먼저 국민이다. 우리의 책임은 국가와 국민을 지키는 것이지 무고한 국민을 살육하는 것은 잘못된 명령이다.""더구나 잘못된 명령임을 알고 있으면서 어찌 명령을 수행할 수 있겠냐?"라며 항변했다.

그는 군 복을 벗고 시민군으로서의 새로운 삶을 시작했다. 김 중령 동기들의 비난에도 불구하고 그의 눈빛은 더욱 밝아 졌다.

그는 자신의 올바른 신념에 따라 행동했고 그것이 군인으로서의 본분이고 국가민주화의 미래를 향해 나아가는 것으로 생각했다. 최후의 항전을 앞에 두고 시민군은 인원과 무기류가 역부족이었고 대부분 상처를 입거나 죽음을 앞두고 있지만 결코 불안해 하거나비겁하게 투항하지 않겠다고 다짐했다.

시민군과 진압군 사이에 치열한 전투가 있었고 진압군은 저격수까지 포진시켜 시민군을 모두 몰살시킬 작정을 하고 있었다.

그들 뜻대로 전남도청의 시민군은 안타깝게 모두 전멸하였다. 반면 진압군 중에는 광주 출신이 있어 이들은 시민들을 안전한 곳으로 가도록 하거나 골목으로 가도록 유도하여 피할수 있게 해주었다. 그러나 나중 이러한 것을 목격한 지휘관은가차없 이 자기 부하를 사살하여 이를 본보기로 삼았다.

반면 교전 중 부상으로 체포된 김중령은 진압군인 공수부대에 의해 고문을 당하며 신군부에 반대하는 불순분자인 빨갱이로 몰려, 사형을 선고받고 1980년 6월26일, 광주 교도소에서 총살되었다.

그의 죽음은 오랫동안 밝혀지지 않았다. 신군부는 광주 민중항쟁을 폭동이나 사주로 왜곡하여 발표하였다. 또한 희생자들을 감추고, 언론을 통제하였다. 그러나 1987년 6월 민주화 운동이

일 어 나면서, 광주 민중항쟁의 진상이 조금씩 드러났다. 1988년 국회에서 광주 진상특위가 설치되어, 김 중령을 포함한 희생자들의 신원과 사망원인이 밝혀졌다.

1995년에는 5·18 민주화운동 등에 관한 특별법이 제정되어, 희생자들에게 보상과 명예 회복이 이루어졌다. 1997년에는 5·18 민주화 운동이 국가기념일로 제정되었다.

김 중령의 유족은 그의 죽음을 애도하고, 정신을기리고, 광주 민중항쟁의 진실을 알리기 위해 시민단체 와 국회를 다니며 노력했다. 그들은 5·18 민중항쟁 추 모탑에 희생자의 이름을 새기고, 5·18 기념관에 그들의 사진과 유물을 전시하고, 5·18기념일에 그들의 묘역을 찾아가서 꽃을 바치고 있다.

한편 다른 지역의 진압군은 닥치는 대로 시위 군중의 머리나 머리채, 뒷덜미 옷을 잡아끌러 가거나 진압봉으로 무차별 가격을 하였다.

"억!"하며 시위대 한명이 소리쳤다. 그의 머리에는선혈같은 피가 솟구쳐 올랐다. 진압봉으로 머리를 땅에 박고 있지 않은 시위대의 머리를 발길로 차다 분이 안 풀렸는지 진압봉으로 사정없이 머리를 내리쳤다.

그 시위대의 머리에서는 피가 분수처럼 솟아오르며 낭자하게 흐르고 있었다. 남학생은 모두 옷을 벗기고 팬티만 입힌 채 손은 머리 뒤로 손가락을 꿰게하였다. 그리고 무릎 앉혀 놓고 진압봉을 무자비하게 무릎 위를 타격하거나 머리에 총구로 겨누고 있었다. 계엄군에게 많이맞아 온몸이 피투성이 되어 비틀대면 바로 가차없이   군홧발로 옆구리를 차고 다시 진압봉으로 온몸을 가리지않고 무차별 사정없이 내리갈겼다. 지옥도 이런 지옥이 없었다. 민수는 이 자리에서 도망가고 싶었다. 이렇듯 하는 자신의 진압군을 오히려 쏴 죽이고 싶었다. 그 혹독한 훈련과 시위대는 빨갱이로 정신강화훈련을 받았지만,사람으로서도 저히할 수 없는 일을 자신이 하고 있었다.

하지만 뒤의 지휘관들은 조금이라도 사정을 봐주면 오히려 진압군을 사정없이 내리갈겼 다."야, 임마!,너같은놈들이 바로 이렇게 빨갱이가 되는거야!"하며 자기 부하인 진압군의 옆구리를 걷어차거나 총을 겨누었다. 이렇듯 매일의 악몽 같은 시간은 흐르고 있었다.

이러한 광주항쟁의 배경에는 12·12 쿠데타와 5·17 비상계엄 전국 확대로 1979년 10월 26일 박정희 대통령이 사망하자 노동자, 농민, 학생, 재야인사 등은 억눌렸던 민주화 요구를 분출하였다. 민주주의 회복을 둘러싸고 다양한 전망들이 발산하는 가운데 12월 12일 전두환·노태우의 하나회를 중심으로 신군부 세력은 쿠데타를 일으켰다.

신군부는 계엄사령관이었던 정승화 육군참모총장과 군지휘부를 불법 연행하여 군지휘권을 장악 하였다. 1980년 4월부터 전개된 노동쟁의는 5월초까지전국에서 격렬하게 전개되었고, 대학생들은 5월13일부터 캠퍼스를 벗어나 거리에서 계엄령해제와 민주주의 회복을 외치며시위에 나섰다.

5월 15일 서울역에는 10만명의 대학생이 결집하였는데 총학생 회장단은 시위대 해산을 결정하였다. 이를'서울의 봄'과 '서울역 회군'이라 불렸으나 당시 유시민등 대학집행부 일부가 추진하고자 했던 집회는 많은 사람들의 희생을 염려하여 무위로 끝나는 작전 실패로 기억되었다. 한편 신군부는 북한 남침설을 유포하고 대중 운동을 사회혼란으로 규정하였다. 1980년 2월부터 후방부대에 시위진압 지침을 전달하고 공세적인 진압훈련인 '충정훈련'을 실시하였다. 군의 사회개입은 대학생시위가 소강사태에 접어든 5월 17일 전군 주요지휘관 회의에서 구체화되었다.

이 회의에서 비상계엄의 전국 확대가 결의되었고, 국무회의는 이를 형식적으로 승인하는 절차였다. 5월 17일 24시부로 비상계엄이 전국으로 확대되고, 새벽 2시 국회는 무력으로 봉쇄되었다. 계엄 확대 이전인 17일 밤부터 전국 군·검·경 합동수사본부는 학생, 정치인, 재야인사 등을 예비검속으로 불법 연행하였다. 비상계엄 전국 확대는 신군부가 직접 사회를 장악하고, 신군부에 저항하는 세력을 '적색분자', '불순세력', '폭도' 등으로 규정하는 조치였다. 이러한 항쟁의 양상은 계엄군을 몰아내고 해방 광주를 만들고자 하였다.

비상계엄이 확대되자 7공수여단이 전라남북도 주요 대학을 점거하였다. 7공수여단은 대학을 점거하며 물리력을 사용했고, 전북대에서는 '비상계엄 철폐 및 전두환 퇴진' 밤샘농성을 하던 이세종이 공수부대원들에 의해 사망하는 사태가 있었다.

광주 전남대, 조선대에 남아 있던 학생들도 공수부대에게 구타 및 연행을 당하였다. 5월 18일 아침, 전남대 정문 앞에서는 비상계엄과 휴교령에 반발하는 학생 시위가 전개 되었고, 7공수여단은 학생들을 강제 해산시켰다. 학생들은 전남도청이 있는 금남로 및 광주 시내 곳곳에서 산발적인 시위를 벌었고, 경찰은 최루탄을 사용하며 이들을 진압하였다.

오후부터 7공수여단이 직접 시위대 진압에 나서며 상황이 급변하였다. 군 지휘부는 포고령 위반자의 엄중처리, 소요자 타격 및 체포 명령을 내렸고, 공수부대는 진압봉뿐아니라 총기개머리판, 대검을 총기에 착검하여 휘두르며 공세적 진압에 나섰다. 연행자를 금남로에서 옷벗기고 구타하는 상황이 지속됐다. 이날 하루 동안 학생 224명, 일반인181명 등 405명이 연행되었다.

5월19일, 11공수여단이 광주에 추가투입되었고, 공수부대는 2인1조로 순찰하며 금남로 일대를 완전히 통제하였다. 군은 장갑차, 헬기 등 중장비를 시위 진압에 투입하였다. 시민들은 적극적으로 공수부대 진압을 곳곳에서 저지하였다.

4시 40분경, 동원빌딩 인근에서 분노한 시민들이 계엄군 장갑차를 공격했고, 이 과정에서 11공수여단 장교의 발포로 총상자가 발생하였다. 5월 20일은 군의 강경진압에 항의하는 시민이 기하급수적으로 늘었고, 시위대는 언론 왜곡보도의 상징인 광주MBC와 행정을 상징하는 광주 세무서를 불태웠다.

이날 군은 보고에서 4~5만명의 시위대가 기물을 파손하고 계엄군과 대치한다고 보고하였다. 군은 시위대를 '난동자'로 보았고, 일선 부대에 M16 실탄배부 및 무장을 명령했다. 3공수여단이 광주 시청에서 시민을 향해 발포 하였고, 다음날 새벽 병력이 광주역에서 전남대로 복귀하면서 시민들과 충돌하여 많은 희생자가 발생하였다.

5월 21일 새벽, 시민들은 광주역앞에 방치된 시위 참여자 시신들을 발견하였다. 시신을 수습하고 공수부대의 만행을 시내 도처에 알리면서 금남로로 행진하였고 전남도청 앞에서 계엄군과 대치하였다. 오전에만 10만여 명이 거리로 나왔으며 시민 대표단은 전남도지사를 만나 사과 및 연행자 석방, 공수부대 철수를 요구했다. 그러나 정오를 기해 전남도청 앞, 전남대 정문 부근에서 공수 부대는 집단발포를 시작했다. 이를계기로 시민들은 광주 부근 무기고를 털어 자체 무장을 시작하고, 계엄군과 전투를 시작했다.

5월21일 오후부터 공수부대는 시내를 벗어나 광주시 외곽을 봉쇄하며 새로운 경계를 만들었다. 계엄군은 시민군 내부에 존재하는 광주시민을 '폭도'로 규정하였다. 이 때문에 광주를 벗어나거나이동하는 민간인을 향한 무차별 발포가 시작되었다. 특히 3공수여단이 봉쇄작전을 펼쳤던 광주교도소 부근의 광주와 담양을 잇는 길목에서 많은 희생자가 발생하였다. 계엄군이 물러간 광주에서 시민군은 시내 방위대, 지역 방위대를 조직하여 자치질서를 수립했다.

시민군은 청소년의 총기휴대금지, 계엄군의 선제발포시에만 사격허용 등을 제시하며 총기 사고 예방에 힘썼다. 종교인, 지역 유지등으로 구성된 시민수습 대책위원회는 계엄군과 협상 및 무기 회수를 시도하였다. 계엄군은 수습대책위원회의 협상안에 불응하였고 23~26일 도청광장에서는 매일 시민궐기 대회가 개최되었다.

5월26일 젊은 청년을 중심으로 민주시민 학생투쟁위원회가 결성되었고, 결사항전을 결의했다. 광주는 정부와 군입장에서 '치안부재의 상태'로 규정되었다. 최규하 대통령은 사태의 책임을 광주시민에게 떠넘기는 특별담화를 발표했는데, 이에 윤공희 천주교 광주대교구 대주교는 '광주 시민들의 평화적인 시위를 다

스리는데 있어서 계엄군이 광주시 곳곳에서 천인공노할 잔악한 행위를 수많은 시민들이 지켜보는 한 가운데서 자행했기 때문에, 자기아들, 딸들이 군인들의 몽둥이에 얻어맞고 구둣발에 채여 유혈이 낭자한 채 길바닥에 쓰러지고 죽거나 부상당한 채로 차에 실려가는 것을 본 시민들이 얼마나 격노한것이라 반박하였다.

군은 5월27일 새벽3시30분을 기점으로 최종 진압작전인 상무충정작전을 실행하였다. 공수여단 특공조가 광주 시내로 침투하였고, 20사단과 31사단이 외곽에서 시내로 진입했다.

4시5분 전남도청에서 시민군과 교전이 벌어졌고, 4시55분 전남도청 진압이 완료되었다. 새벽5시를 전후로 광주관광호텔, 광주국군통합병원, 전남도청, 광주경찰서 등 주요 기관의 군부대 진입이 완료되었다. 이작전으로 윤상원, 박용준을 비롯한 17명의 시민군이 사망했고, 227명이 연행되었다. 시민군은 명령에 의해 마지막 저항을 결정한 것이 아니었다.

윤상원 등 시위 지도부는 '군은 각오와 결의가 없는 사람은 지금 나간다고 해도 말리지 않겠다'고 말했다. 시민군 150여명의 희생속에서 열흘간 전개된 항쟁이 마무리 되었다. 항쟁의 지역적 지향점으로는 5·18 광주 민주화 운동은 1979년 유신체제 붕괴에서 촉발된 전국적 민주화 요구의 연장선상에서 전개되었다.

지도부는 유신독재와 신군부를 광주비극의 원인으로 규정했다. 신군부를 '유신잔당'으로, 공수부대를 '전두환의 친위대'로 규정했다. 민주 시민투쟁 위원회 지도부12명 가운데 절반이 넘는7

명은1970년대 민주화운동 참여자였 다. 운동은1970년대부터 이어진 반유신 및 민주화운동의 지향을 일정 부분 계승하였다. 5월21일과 22일 계엄군을 몰아내고 광주시내에서 손쉽게 볼수있었던 태극기는 자유민주주의를 기반으로한 저항성을 보여준다.

한편, 광주의 자치질서확립과 전남도청 사수투쟁은 공동체, 도덕규범, 분배정의 등을 요구했던 민중주의적 지향을 보여준다. 전국적인 5월 민주화요구속에서 광주에서만 대중봉기가 확대되었던 이유로서는 첫째가 공수부대의 과잉진압이 그 원인이었다.

경찰로 통제가능한 시위에 군대가 개입하면서 희생자가 발생했고, 이것이 시민의 분노로이어졌다. 둘째, 시위 및 강경진압이 발생했던 금남로는 광주 및 인근 지역의 버스까지 통행하던 교통 중심지였고, 오랫동안 행정 중심지이자 시민들의 참여와 저항이 이어지던 공간이다.

이 때문에 공수부대의 과잉진압 소식은 빠르게 인근 지역으로 전파될 수 있었다. 셋째, 호남 유력 정치인 김대중의 연행이 촉발한 측면이 있다. 1971년 신민당 대선 후보로서 전국적인 돌풍을 일으켰던 김대중은 박정희 사후 정치권력 장악 및 민주화 과정에서 핵심적인 인물이었다.

김대중 연행은 호남지역에서 신군부를 비판하는 정서를 확산시켰다. 아직 끝나지 않은 진상규명 운동은 사건이후 한국 민주화운동의 자양분이 되었다. 전두환 정부는 운동을 내란, 폭동으로 규정했고, 민주화 운동세력은 정부에맞서며 광주 학살진상규명투쟁을 벌여나갔다. 광주가 희생되는 동안 아무것도 하지 못했다는 도덕적 부채와 지속적인 군부정권의폭력은 대학가에 급진적으로나타났으며, 전두환정부를 친미 폭력정권으로 이해했다. 이를 극복하기 위한 변혁운동의 필요성을 주장하였으며 1970년대 민주화 운동의 이데올로기적 한계를 극복하고자 했다. 이처럼 5·18 광주 민주화운동은 1980년대 변혁운동과 민주화 운동에서 정서적·이념적인 저수지 역할을 했으며, 1987년 6월 민주항쟁으로 이어져 오게되었다.

이후 제도적 민주화가 성취되고 1995년 '5·18민주화운동 등에 관한 특별법'이 제정되어 헌정질서 파괴 범죄행위에 대한 공소시효 정지 등이 결정되었다. 1997년 4월 전두환·노태우는 쿠데타와 광주 학살의 대가로 각각 무기징역, 17년형을 선고받 았으나 같은 해 12월 특별 사면되었다.

아직까지 발포 최초명령자에 대한 원인규명이 안되고 있어 이를 규명하는 것이 광주항쟁의 핵심으로 볼 수 있다. 당시를 좀 더 구체적으로 살펴보면 이날 도청앞 집단발포를 명령한자 는 누구인가? 몇 명이나 희생당했는가? 집단발포로 몇명의 시민이 살상 당했는지는 아직도 정확히 밝혀지지 않았다.

지금까지 군의 발표와 1988년이후 피해자 신고 내용을 종합해 볼 때 이곳 현장에서 최소 54명이상이 총격으로 숨지고, 500명 이상 총상을 입은 것으로 알려지고 있다.

항쟁 1년후 육군 본부가 진압작전에 참가한 공수부대의 상황 일지를 종합 검토 해서 편찬한 자료집〈소요 진압과 그 교훈〉에는 총과 실탄이 시위대에게 피탈당한 최초의 사례를 5월21일 오후 2시30분경 나주경찰서 삼포지서라고 특정했다.

그시각 이후부터 시위대가 화순이나 나주지역의 각경찰서나 지서에서 획득한 무기로 스스로를 무장한 것이다. 2018년 국방부 조사에 따르면 도청 앞 전일빌딩 10층에서 발견된 총탄 자국은 '헬기사격에 의한 것'이라고 확인됐다.

최초 발포상황, 그직후 지속적인 조준사격, 헬기사격 등은 통제할수 없는 상황에서 우발적으로 일어난 발포가 아니라 '발포명령'에 따라 총을 쐈다는 사실을 확인시켜 주고 있다.

그러나 군당국은 당시 작전문서들을 조작하거나, 왜곡 변조해서 발포상황을 정확히 파악하는 것이 불가능하게 만들어버렸다. 40년이 지난현재까지도발포명령의존재자체를부인하고 있다.

게다가 최근에는 한걸음 더나아가북한 특수부대가 침투해서 저지른발포라는 '가짜뉴스'마저 확산시키고 있다. 광주역발포와 더불어 도청 앞 집단발포 명령자를 밝히는 일은 5·18 민주화운동 진상규명의 핵심 사항이다.

당시 시민군 탄생은 도청 앞 에서 오후1시경에 계엄군의 집단발포가 시작되자 격분한 시민들은 자신을 지키기 위해 스스로 무장을서둘렀다. 시위대 중 일부가 광주 근교로 차량을 향했다.

나주, 화순, 장성, 영광, 담양 등지의 경찰서나 지서에 보관된 예비군 무기고가 목표였다. 전남지역 각 군의 지서에는 겨우1~2명 정도씩 밖에경비경찰이 남지 않았다.

광주 시위진압을 위해 동원됐기 때문이다. 시위대의 무기 획득은 어렵지 않았다. 시위대는 화순 탄광에서 광부들의 도움으로 다량의 다이너마이트와 뇌관을 확보했다.

다른데서도 카빈총과 실탄을 노획했다. 획득한 무기들은 즉시 광주 시내로 반입되어 청년들에게 분배되었다. 이렇게 무장한 시위대는 자연스럽게 '시민군'으로 불렸다.

시민군은 광주공원의 시민회관 앞을 본부로 삼아 대열을 정비했다. 무장한 시민군이 금남로에 나타난 시각은 오후2시가 넘어서였다. 나주나 화순에서 무기를 가지고오는데 약간의 시간이 걸렸다.

10여명씩 조를 나누어 부대를 편성했다. 각조별로 지도부의 지시에따라 광주시내 주요지점에배치되었다. 시가전은 도청을 중심으로 전남대 의대 근방, 노동청, 공원, 금남로 등지에서 벌어졌다.

특수 훈련을 받은 정예 공수부대와 급조된 일반시민군의 전투력은 비교가 되지 않았다 .21일 오후 금남로에서 시민군의 총에 맞아 사망한 공대원은 단한 명도 없었다.

하지만 이날 오후7시30분 이희성 계엄사령관은 방송을통해 군의 '자위권보유'를천명하는경고문을 발표했다. 광주에 투입된 계엄군들은 '자위권보유'천명이 '발포명령'이라고 받아들였다.

계엄군은 봉쇄선에 접근하는 무 장 시위대만이 아니라, 무장하지않은 시민들까지 무차별적으로 총격을 가하였다. 광주 시내병원들은 총상환자가넘쳐났다. 버스나 소형차들이 부상자나 시신을 병원으로실어날랐다.

의사와 간호사들은 정신없이 뛰어다니며 한 사람이라도 더 살리기 위해 최선을 다했다. 가정주부를 비롯해, 여학생, 아가씨들은 물론 어린아이까지 팔을 걷어 부치고 헌혈하기 위해 병원으로 달려왔다. 부족하던 피가 넘쳐났다. 이날 광주 시내에 거주하던 미국인 약200명은 송정리에서 군용비행기를 타고 서울로 피신했으며, 송정리 공군기지에 주둔해 있던 미 공군은 그곳의 모든 비행기를 군산과 오산비행장으로 이동시켰다.

이런 가운데 항쟁의 확산은 5월21일의 도청앞 집단 발포를 계기로 항쟁은 광주시내를 벗어나 전남지역으로순식간에 번져나갔다. 항쟁의 불길이 화순, 나주, 함평, 영암, 강진, 무안, 해남, 목포 등 전남 서남부지역으로 확산되면서 그 지역 청년들이 대거 광주로 들어와 시위대에 합류하였다.

광주 시위대가 대거 시외로 나가서 광주의 처참한 상황을 본격적으로 그 지역 주민들에게 알렸다. 고립된 채 광주에서만 부글부글 끓던 항쟁이 전남 서남부지역으로 들불처럼 퍼져나간 것이다. 그 지 역 주민들의 호응이 뜨거웠다.

광주에서 대학과 직장을 다니는 사람들의 상당수가 전남이 고향이었다. 때문에 광주와 전남의 정서적인 유대감은 매우 깊었다. 5월   22일~26일에는 군은 봉쇄 작전으로 광주시내에서 퇴각한 공수부대는 27일 항쟁이 끝날 때까지 20사단, 31사단과 함께 광주에서 외부로 통하는 도로군데를 완전히 봉쇄했다. 신군부가 가장 우려한 것은 광주시위가 서울과 부산 등 지방 대도시로 확산 되는것이었다.

봉쇄작전에서 특이한 사항은 공수부대와 20사단 차단지역에서 민간인 희생자가 31사단 차단지역보다 훨씬 많았다는 점이다. 특히 공수주둔지인 광주교도소와 11공수부대의 주둔지인 주남

마을에서는 '민간인 집단 학살'이라고 불릴만큼 10~20명 정도씩 사망자가 많이 발생했다. 20사단 차단지역인 광주와 나주 사이에서도 21일 밤중에 10여명의 시민들이 한꺼번에 사살당했다. 서울에서 광주에 투입한 '충정부대'에서만 유달리 이렇게 희생자들이 많았다. 3공수여단은 광주교도소에 주둔하면서 강력하게 고속도로 봉쇄작전을 펼쳤다.

희생자들 대부분은 교도소옆 고속도로나 국도를 경유해서 광주를 빠져나가려는 사람들이었다. 계엄당국은 이 희생자들이 '교도소를 습격하려 했다'고 왜곡 했다. 하지만 실제 밝혀진 희생자 가운데는 21일 저녁 무렵 광 주에서 농기구를 구입하여 집으로 돌아가던 담양 대덕마을 주민들도 있었고, 5살짜리 딸과 아내를 자신의 화물 자동차에 태우고 22일 아침 고향 진도로 향하던 일가족도 고속도로입구에서 총격으로 중상을 입었다.

봉쇄작전은어떠한사전예고도 없이 갑자기 시행되었다. 만약 차단 사실을 사전에 충분히 알렸 더라면 이렇듯 무고한 민간인 희생은 줄일 수 있었을 것이다.

24일 오후1~3시사이에는 송암동 야산에 매복하여 봉쇄작전을 수행 중이던 전교사 보병학교 교도대가 주남마을에서 광주비행장으로 이동하는 11 공수여단을 무장한 시민군으로 오인하여 90밀리 무반동총과 크레모아 등으로 장갑차와 군용트럭을 폭파해버린 오인사고가 발생했다. 이사건으로 11공수대원 9명이현장에서 사망했다. 11공수는 곧바로 계엄군의 잘못 때문인 것으로 파악했다.

시민군이 도청을 장악하였다. 아침 일찍 도청을 접수한 시민군은 계엄군이 버리고간 물건들로 어수선한 내부를 정돈한 다음, 도청을 본부로 정하고 1층 서무과를 작전상황실로 사용했다.

상황실에서는 차량통행증과 시내 주유소의 유류를 보급받기 위한 유류보급증, 상황실 출입증등을발부하는한편, 외곽 지역에서 방위를 맡고 있던 시민군들과 연락체계를 구축하였다. 또한 기동순찰대를 편성하여 긴급 상황이 발생하면 출동하도록 대기시켰다.

경찰에 의한 치안유지 활동이 전혀 없었음에도 불구하고 은행이나 신용금고 같은 금융기관에서는 사고가 발생하지 않았으며, 금은방 귀금속 상점에서도 사고가 일어나지 않았다. 이 기간 동안에 발생한 범죄율은 오히려 평상시보다 훨씬 낮았다. '수습대책위원회'나 시민군에게 필요한 자금 시민들의 자발적인 성금으로 해결되었다.

1천여명에 이르는 시민군들의 매끼 식사도 시민들이 자발적으로 지어다준 주먹밥 등으로 해결되었다. 시민들은 이 기간 동안 매일 도청 앞 광장에 모여 향후 어떻게 대처 할지를 공개적인 토론을 통해 행동방침을 정했다. 분수대 위에는 누구든 올라가서 발언할수 있었다.

직접 민주주의방식으로 서로의 의견을 모았고, 거기서 결정된 바에 따라 스스로 행동에 옮겼다. 봉쇄기간 동안 광주시민들은 직접 민주주의 원리에 바탕을 둔 완벽에 가까운 자치공동체를 경험한 것이다.

서로가 서로를 위하고 헌신하는 이런 모습은 인류역사가 도달할 수 있는 높은 단계의 집단적 도덕성을 보여 주었던 시기로 평가된다. 5·18 기간중 공동체의 절대 위기라는 독특한 상황에서 나타난 역사의 특별한 시기에 짧지만 강렬하게 경험할 수 있었던

이런 소중한 체험은 광주 시민들의 집단 기억속에 새겨진채 지금까지도 지속되고 있는 것이다. 수습대책위원회는 22일낮 12시 30분경, 신부·목사·변호사·교수·정치인 등 20여명으로 '5·18 일반수습대책위원회'가 결성되었다.

이어서 오후9시경 학생들을 중심으로 '학생수습대책위원회'도 구성되었다. 지역의 유지급 인사들이 중심이 된 '일반수습대책위원회'는 계엄사측과의 협상활동을 했으며, 학생수습대책위원회'는 대민 업무를 맡았다. 학생수습위는 장례반, 홍보반, 차량통제반, 무기 수거반으로 나뉘어 활동했다.

일반 수습위는 토론 끝에 계엄 당국에 제시할 7개 항목의 요구사항을 결정했다. 계엄군의 과잉진압 인정과 구속학생 및 민주인사연행자 석방 등 7개 요구사항을 가지고 협상대표8명이 전남북계엄분소를 찾아가 협상을 벌였다. 계엄 당국의 입장은 강경했다. 과잉진압에 대해 시민들이 과격하게 시위를 했기 때문이라고 시민 대표들과는 전혀 다른 시각을 보이면서 '조건없는 무기반납'만을 요구했다.

이 자리에서 협상 대표 일부가 계엄 당국의 강경입장을 전하면서 '무기반납과 군인에게 치안 유지를 맡겨야 한다'고 발언하자, 듣고 있던 시민들이 크게 반발했다. 시민들이 납득할 만한

사태 수습 방안을 계엄 당국이 먼저 제시한 후 무기를 반납해야 한다는 주장이 나왔고, 그 주장이 큰 호응을 얻었다.

아침 일찍부터 아주머니들이 길가에 솥을 내다걸고 밥을 지어 밤샘 경계근무를 서는 시민군들에게 식사를 제공했다. 오전 10시경, 도청앞 광장은 5만여명의 인파가 운집했다. 한편 지난 구성된 학생수습 대책위원들은 일반수습대책위원들이 모두 귀가한 상태에서 밤새워 대민 질서, 홍보, 장례, 무기회수 문제 등을 토의했다.

이들은 다른 여러가지 문제에 대해서는 의견의 일치를 보았다. 하지만 무기반납 문제에 대해서는 수습대책위원회 내부에서도 팽팽한 시각차를 보였다. 시간이 흐를수록 무기 반납을 둘러싼 내부갈등이 표면화되기 시작했다.

시민들 사이에서 '계엄당국의 납득할 만한 조처가 없는 상황에서 무조건 무기를 회수할 경우 계엄군과 협상조차 해보지 못하고 진압당할것'이라는 우려의 목소리가 커졌다. 오후3시 도청앞 광장에서 열린 '제1차 민주 수호 범시민 궐기대회'에서 시민들의 단결력을 보여줘야 한다는 주장이 쏟아져나왔다.

협상력을 높이기 위해 무기회수에 앞서 계엄군에 대한 방어태세를 먼저 갖춰야 한다는 의견도 큰 호응을 얻었다. '민주 수호 범시민 궐기대회'는 23일부터 26일까지 하루에 1~2회씩 모두 5차례열렸다. 이대회를 통해 '무기반납' 등 협상 의제에 대한 체계적인 의견수렴은 물론, 일반수습대책위원 교체를 통한 협상력강화, 대학생 시민군자원봉사자모집, 시민 생활의 질서유지활동 등을 본격적으로펼쳐나 갈 수 있었다.

수습대책위원회가 나서서'무기회수'에 앞장 섰다. 25일까지 회수된 총기는 모두 4,500여정이었다. 전체 5,000여정가운데 90% 정도가회수된 것이다. 무기회수는 '양날의 칼'이었다. 상당수의 시민들은 안전사고를 우려해 당장 무기를 회수해야 한다는 주장에 동의했다. 그렇다고 회수된 총기를 계엄당국의 요구대로 무조건 반납하는것은 원치 않았다. 수습위원회는 계엄군에게 반납하는 조건과 방법은 잠시 미룬채 무기회수를진행했다.

회수된무기는 우선 도청 지하실 임시 무기고에다 쌓아 두었다. 그런데 시민 안전을 명분으로 추진했던 무기회수는 역설적으로 계엄군의 공격에 무방비상태를 초래하고 말았다. 무장한 시민군의 숫자도 무기 회수 정도에 따라 약 5,000명에서 500명정도로 10분의 1로 줄었다. 외곽을 방어하는 시민군들은 도청 내 수습대책위의 의견대립과 관계없이 대부분 무기 반납을 거부한 채 위치를 고수하고 있었다.

이 모든 것이 시민들의 자기 희생적인 도덕성과 자치능력에 의해 유지되고 있었다. 온건파와 항쟁파로 5월24일, 항쟁 7일째로 접어들면서 수습 대책위원회 내부 갈등이 표면화되었다. 이날 오후1시경 도청상황실에서 김창길 위원장의 사회로 '학생수습위원회'가 열렸다.

그 자리에서 온건파와 대립하여 항쟁파로 분류되던 김종배, 허규정 등의 다음과 같은 요구 사항이 채택됐다. 첫째, '광주사태'에 대하여정부는 불순분자들과 폭도들의 난동으로보도하고있는데, 현재의 광주항쟁은 전시민의 의지였으므로 폭도로 규정한 점을 해명 사과하라. 학생수습위는 항쟁파가 주도권을 장악하기 시작했고 온건파가 한걸음 물러섰다. 일반수습대책위에도 비슷한 변화가 생겼다. 무조건 무기 반납을 주장하던 온건파대신 재야 민주인사 및 천주교신부들로 교체되었다. 수습대책위 내부가 의견대립으로 흔들리자 이를 틈타 계엄군의 정보요원들이 도청에까지 잠입하여 교란작전을 시도했다.

25일아침 8시, 도청내부에서'독침 사건'이 발생했다. 독침사건의 주인공은 보안사가 시민군을 교란시키기 위해 침투시킨 인물로 후일 밝혀졌다. 계엄 군이 광주 외곽을 둘러싸고 봉쇄 작전을 펼치는 동안 광주시민들은 왜곡보도를 일삼는 국내언론과 달리 외신기자들에게는 자유롭게 취재할 수 있도록 도왔다.

항쟁지도부 등장 25일 밤10시, 온건파와 갈등 끝에 항쟁파중심으로 '항쟁지도부'가 새롭게 탄생했다. 항쟁지도부는 학생 수습대책위의 일부 항쟁파와 청년운동권, 그리고 무장투쟁 국면에서 주도적으로 활약했던 기층 민중출신으로 구성되었다.

항쟁지도부는 즉각 무기 회수를 중단시켰다. 온건파의 '아무런 조건없이 총기를 내려 놓고 도청을 비워버리자'는 주장과 달리 '시민들의 투쟁역량을 재정비하여 계엄군과 협상을 유리하게 이끌겠다'는 생각이었다. 각자 역할을 새롭게 분담하고, 시민 생활의 정상화를 도모하였다.

그들은 '투쟁과 협상을 병행'하겠다는 방침을 분명히 했다. 26일 오전, 항쟁지도부는 시민군의 무장 전열부터 재정비했다. 기존 기동순찰대를 해체하고 기동타격대로 새롭게 편성했다. 만약 계엄군이 공격해오면 도청 지하 무기고에 보관되어 있는 다이너마이트로 대항하겠다며 계엄당국과 협상을 시도했다.

그러나 항쟁지도부가 협상의 최후수단으로 삼았던 시민군의 다이너마이트는 지도부 교체 이전파인 온건파 일원이 계엄군과 내통하여 계엄군 폭약전문가가 시청 지하창고에 와서 폭약의 뇌관을 모두 제거해 버리는 충격적인 사실이 밝혀 졌다. 따라서 폭약을 믿고 있었던 강경파는 이사살을 모른채 협상을 하였으나 이미 협상의 우위에 있던 계엄군에 의해 협상을 실패로 돌아가고 마지막 항쟁의 시민군 모두 전멸하는 사태를 가져 오게 되었다.

즉, 이틀전 24일, 한밤중에 온건파 지도부의 묵인아래 계엄군 폭발물 전문요원이 도청 지하 무기고에 몰래 잠입하여 들어와 다이너마이트와 수류탄 뇌관을 전부제거해 버렸기 때문이다. 강경 항쟁지도부는 이사실을전혀 모르고 있었던 것이다. 항쟁지도부는대치상황이 장기화 될것에 대비 하였다. 신군부 수뇌부는 25일 낮12시15분, '상무충정작전' 디데이를 27일새벽 0시1분이후실시하도록 결정했다.

신군부가 '상무충정작전'을 결정한 25일낮 12시 15분은 전남도청에서 항쟁지도부가 아직 탄생하기 전이었다. 항쟁지도부는 25일밤 10시에만들어졌다. 신군부는 항쟁파의 도청장악 때문에 진압작전을 서둘렀다고 주장했지만 그들의 주장은 거짓이다. 25일 낮 황영시 육본참모차장과 김재명 육본작전참모부장은 작전명령서를 가지고 직접 광주에 내려와 전교사령관에게 전달했다. 25일 오후7시에는 전두환의 제안으로 최규하 대통령이 광주에 내려와 선무 방송을 했다.

계엄 당국으로서는 최선을 다해 마지막까지 광주 시민을 설득해 평화적으로 해결하려고 했지만 강경 항쟁파의 저항 때문에 어쩔 수 없다'는 식의 무력 진압을 정당화하기 위한 명분 쌓기였다. 죽음의 행진과 26일밤5월26일 새벽4시, 광주외곽에서 계엄군이 탱크를 앞세우고 시내로 진입하고 있다는 소식이 무전기를 통해 도청 상황실에 들어왔다.

27일 새벽 도청 소탕작전을 앞두고 시민군의 반응을 미리 떠보고, 교란시키기 위한'기만작전'이었다. 계엄군의 탱크는 시민군이 설치한 바리게이트를 깔아뭉개고1km쯤 밀고 들어와 농성동 한국전력 앞길에 진을 쳤다.

새벽 도청에는 비상이 걸렸다. 이때 나이든 수습위원들이 계엄군 진입을 막겠다고앞장섰다. 당시 이들은 이성학장로, 김성용 신부 등 17명이 도청을 출발해 계엄군을 향해 약4km정도를 무거운침묵속에 발걸음을 옮겼다. 이른바 죽음을 각오하고 온몸으로 계엄군의 진입을 막겠다는 비장한 각오로 나선 '죽음의 행진'이었다. 김성용 신부등 11명은 그길로 전라남북 계엄분소로 가서 마지막 협상을 진행했다.

계엄 당국은26일 자정까지 모든 무기를 버리고 도청을 비우라고만 요구했다. 무조건 항복 하라는 최후통첩이었다. 26일 오후 계엄군의 진입작전이 임박 했다는사실이 알려지자 항쟁지도부는 두차례에 걸쳐 민주수호 범시민 궐기대회를 열었다. 시민들은 평화적인 수습 노력을 외면한 채 대량 살상이 예상되는 유혈진압을 강행하겠다고 위협하는 계엄군의 일방적 고압적인태도를격렬하게규탄했다.

이 궐기대회에서 채택한 7개항으로된 '80만 광주 시민의 결의'는 마지막까지 도청을 사수하고자했던 시민들의 의지를 오롯이 담고 있다.

첫째, 이번 사태의 모든 책임은 과도정 부에 있다. 과도정부는 모든 피해를 보상하고 즉각 물러나라.

둘째, 무력탄압만 계속하는 명분없는 계엄령은 즉각해제하라.

셋째, 민족의 이름으로 울부짖는다. 살인마 전두환을 공개 처단하라.

넷째, 구속 중인 민주 인사를 즉각 석방하고, 민주인사들로 구국과도정부를 수립하라.

다섯째, 정부와언론은 이번 광주의거를 허위조작, 왜곡 보도하지말라.

여섯째, 우리가 요구하는 것은 피해 보상과 연행자 석방만이 아니다. 우리는 진정한 민주정부수립을 요구한다.

일곱째, 이상의요구가 관철될때까지, 최후의일각까지, 최후의 일인까지 우리 80만 시민일동은 투쟁할 것을 온 민족 앞에 선언한다. 이 결의문은 초기에 '수습'에만 초점을 맞췄던 협상안과 달리 '계엄해제, 전두환처단, 민주정부수립'등을요구했다. 이 항쟁의 성격을'민주화운동'으로 분명하게 표방한것이다.

한편 궐기대회 직후 강경 항쟁지도부 대변인 윤상원은 도청에서 외신기자 회견을 열어 '미국이 나서서 도청 유혈진압을 중지시켜 달라'는 의견을 밝혔다. 외신기자를 통해 주한 미대사와 유혈 사태를 막기 위한 마지막 협상을 시도했지만 좌절되었다. 26일 밤 도청 안에서는 계엄군의 진입이 임박한 것을 예상하고 일부 사람들이 도청을 빠져 나갔다.

항쟁지도부도 빠져나가는 사람들을 만류하지 않았다. 지도부는 이미 궐기대회에서 최후까지 싸우겠다는 사람만 남아달라는 말을 전한 바 있었다. 고등학생이나 여성들에게는 집으로 돌아가라고 간곡히 권유했다. 어린 학생들은 살아 남아서 '우리가 왜 마지막까지 싸울 수밖에 없었는지를 살아있는 다른사람들에게 증언해 달라'고부탁했다. 결사항전을앞둔 도청내 시민군의 분위기는 결연했다.

5월27일, 새벽의 마지막 계엄군은 작전이 시작되기 직전 광주시와 전남지역의 전화를 모두 끊어버렸다. 김종배, 박남선 등 항쟁지도부는 26일 오후 궐기대회가 끝난 후, YMCA에 자원해서 모인 청년학생 150여명을 기존의 시민군과 섞어 전투조로 새롭게편성하였다. 자정이 넘어 새벽 2시쯤 외곽지역 순찰을 돌던 기동타격대의 시야에 계엄군의 진입움직임이 포착됐다.

순찰조의 무전보고를 통해 계엄군진입이 확인되자 항쟁지도부는 도청을 중심으로 YMCA,YWCA, 전일빌딩, 계림국민학교 등 주요 방어지점에 새벽3시경까지 시민군배치를 완료했다. 항쟁지도부는 계엄군 진입사실을 시민들에 알리기로 결정했다.

박영순은 도청 내 방송실에서 최후의 방송을 시작했고, 그 방송은 도청 옥상에 설치된 대형스피커를 통해광주전역에 울려퍼졌다. 집 안에 있던 시민들은 한 걸음도 밖으로 나올 수 없었다. 공포감이 짙은안개처럼 도심을감쌌다. 그날 밤 그녀의절규는 날카로운 비수가되어 사람들의 심장을 파고 들었다. 그 목소리를들었던시민들은 청년학생들이 처절하게 죽어가고 있지만 아무것도 할수 없다는 무력감 때문에 죄책감에 시달렸다.

"시민여러분",

지금 계엄군이 쳐들어 오고 있습니다.

사랑하는 우리 형제, 우리 자매들이 계엄군의 총칼에 숨져가고 있습니다.

우리 모두 계엄군과 끝까지 싸웁시다. 우리는 광주를 사수 할 것입니다.

우리는 최후까지 싸울 것입니다. 우리를 잊지 말아주십시오 ……."

새벽4시 무렵 교회당 종소리와 함께 총성이 울렸다. 도청 뒷담을 넘어 침투한 특공조가 맹렬히 총을 쏘아 댔고, 사방에서 총탄이 쏟아졌다.

특공조는 도청내부로돌격해 들어간 다음 옥상부터 훑어 내려왔다. 각 방의 문을 걷어차면서 닥치는 대로 총을 쏘았다. 도청은 삽시간에 아비규환이 되었고. 총소리와 비명이 난무한 가운데 인기척이 나는 곳에는 계엄군은 무조건 총격을 무차별적으로 가했다. '폭도소탕작전', 바로 그것이었다.

오전 5시10분경 동이 터오기 시작할 무렵 YMCA, YWCA, 전일빌딩, 관광호텔 등이 계엄군에 의해 완전히 진압 당했다. 불과시간 30분만에 항전은 끝났다. 완전한 소탕을 확인한 3공수

특공조는 20사단에게 도청을 인계한 후 7시경 시민들의 눈에 띄지 않게 은밀하게 광주 비행장으로 돌아갔다. 항쟁의피로 붉게 물든 광주의 아침이 밝았다. .

제 07장 환희

시간은 흘러갔다. 그 끔찍한 진압군의 진압에서 전역을 하고 벗어난 민수는 한결 몸과 마음이 편안하고 좋았다. 전역한 민수는 복무시 시위 진압군으로 지대한 공로를 인정받아 전두환정권으로부터 특수부대원 모두 '무공훈장'을 받았다. 민수는 왠지 모르게 훈장이 마음한쪽에서는 불편했다.

담임선생님이 하신말이 생각났다. 쿠데타는 후진국에서 일어나는 일이고 자국민을 살상하기도 한다고하였다. 또한 같은군인끼리 총을쏘고하 는 국가적 비극이 생기는 일이 다반사라고 하였다. 군인의 본분은 적국으로부터 국가를 보위하고 국민을 보호해야 하는 본분이 있다. 반면에 쿠데타는 그들의 군대가 자국의 국민과 가족을 그리고 친구와 주변사람들을 적으로 대하여 살상하는 등의 안타까운 일이 벌어진다고 하였다.

쿠데타는 주로 후진국인 나라 또는 국민의 이성적 판단이 낮은 국민들 대상으로 일어난다고 하였다.

민수는이러한 선생님말씀에 대한 기억으로 깊은 자괴감에 빠졌다. 우리나라는 쿠데타로 반세기 동안 군부정권이 집권하였던 나라었다. 반면에 교육열이 높은 우리나라에 서 쿠데타로 반세기를 집권한정권이 들어설수있었다. 이러한 쿠데타로 정권을 잡을 때 자신이 하였던 그러한 무자비한 살상이 있었을 것으로 생각하니 진압의 트라우마가 전역 후에도 민수를 괴롭히고 있었다.

민수는 전역 후에도 시위군중의 피비린내 나는 광경과 무자비하게 진압했던 또래학생들이 떠올라 민수는 또다른트라우마로 밤새 악몽을 꾸며 불면증과 폐소공포증과 공황장애가 더욱 심해졌다. 또래 대학생들에 대한 진압으로 빚진 마음 때문일것이라며 자책하며 본인이 감내할 몫이라고 생각하며 고통스러운 삶을 받아 들렀다..

민수는 전역 후에 담임 선생님 말씀처럼 진로에 대해다시한번 생각하게 되었다. 법대를 다시 지원할것인지,사대를지원 할 것인지에 대해 많은 시간을 고민했다. 당시의 고3 담임선생님과 상담시 하신 말씀에 대해 많은 생각을 하게 되었다. 담임 선생님은 군인으로서 본분과 교사로 본분 모두 철두철미한 생각을 하고 있었다.

군인의 외도인 후진국형 쿠데타나 교직 부정부패의 만연 등이 결국 본분을 저버리고 사적이익을 우선 하기 때문이라며 사관학교나 교직을 나갈 사람들은 각자의 본분을 망각하면 안 된다고 말씀하였다.

담임선생님은 교직 재직 하기 이전에 특수부대 장교인 중령출신이었다고 하였다. 월남전 특수작전을 수행하다 불의의 사고로 다리를 다쳐 교직으로 오게 되었다고하였다. 키도 크고 군인다움이 전역 후에도 몸에 배어있어 아이들에게 카리스마와 멋진 선생님으로 소문나 있었다. 담임 선생님은 특수부대 고위급 장

교출신으로 사상교육을 철저히 받았지만, 올바른 군인의 본분에 대해 뚜렷한 목적의식이 강했다.

군인이 정치에 참여하는 것에 대해서는 부정적 생각을 하고 있었다. 군인의 정치관여는 후진국인 가봉이나 미얀마, 캄보디아 등과 같은나라에서 쿠데타로 인한 정권탈취 목적인 나라가 대부분이라고 하였다.

쿠데타는 자국민의 희생이 속출하고 경제가 파탄 나며 국민의 삶은 피폐 해질 수밖에 없다. 이 과정에서 결국 국민의 저항에 부딪히면 군부정권은 자국민을 무참히 살육할 수밖에 없는 비극을 가져올 수 있다고 하였다. 쿠데타가 성공할 수 없거나 일어날 수 없는 국가는 대부분 선진국과같은 국민 의식이 높고 국민의 합리적 의심을 통한 높은 이성적 판단이으로 정치권을 감시할 수 있어야 정치권과 군부가 장난질을 할 수 없다고 하였다.

국민들이 이러한 정치권과 군부에 대한 부정과 부패에 대해 정치인이나 정권에 대해 신뢰를 거둬들일 수 있는 구조에서는 쉽게 성공할 수가 없다고 하였다. 따라서 국민적 의식이 높고 사회의 제반 구조에 대해 이성적인 합리적 의심을 통해 판단력을극대화하면 사전에 이들을 제거할수 있어 불행을 막을 수 있다고 하였다.

쿠데타는 필연적으로 총기류 사용으로 많은 자국민과 동료 군인간 서로 피해를 볼 수 있다고 하셨다. 사관학교갈 학생들은 군인의 본분을 명심한 것을 당부 하였다. 담임선생님은 교직에 나갈 사람들도 모두가 자신의 목표가 뚜렷하고 강단이 있으며 주도적이어야 한다고 하였다. 아울러 교직을 선택하려는 사람은 부당한 지시에 대해서는 단호히 거부할 수 있어야 하며, 부정과 부패 그리고 부조리 등에 대한 관행조차 철저히 그리고 단호하게 거절할 수 있어야 한다고 말씀 하셨다.

 사익을 구하지 않고 이러한 잘못된 관행을 철저히 배개하고 청렴하게 삶을 살아온다면 그 자체가 아이들 앞에 당당하고 참된 교육을 할 수 있는 자격이 있다고 말 씀하였다.

 그렇지 못하면 자신의 부정과 부패 그리고 잘못된 관행을 따라 한다면 관리자와 아이들 앞에- 당당하게 소신적 그들을 대할 수 없을 것이라고 하였다고 하였다. 이러한 부패에서 스스로가 사익을 구하지 않았다면 아이들 앞에 당당함을 가질 수 있다고 하였다.

 또한 불의에 대해서 아닌 것은 아니라고 할수있는사람이될 수 있다며 교사로서 올바른 자세를 가졌다고 할 수 있다고 하였다. 모름지기 '페스탈로치'와같은아이들사랑을강조하였다. 민수는 담임선생님의 말씀에 어린 시절 가난으로 친구와 선생님으로부터 차별과 멸시 그리고 모멸감으로 받은 마음의 상처를 기억하면서 담임선생님 말씀이 옳은 것 같았다.

 결국 민수는 최종 진로를 법대에서 사대로 진로를 전환하였다. 많은 고민끝에내려진 진로라 마음이 한결 기뻐워 졌다. 그동안 민수는 가슴 한쪽에 답답함이 있었는데 진로를 결정하고 나니 이런 증상이 없어지고 답답함 대신 기분이 편안해지고 가벼워진 것 같아 좋았다. 아마도 어린시절의 가슴에 맺힌 가난 때문에 겪어야했던 법대지망이라그렇듯 몸은 잘 알고있었던것같았다. 민수는 진로를 최종 법대에서 사대로 정하고 철저한 계획하에 군대에서 어느 정도 공부를 하고 요약해둔 썸머리 노트를 중심으로 디테일한 내용 중심으로 공부에 돌입했다.

틈틈이 군에서 공부해 두었던 요약본을 기본으로 마무리 계획을 세워 월 단위, 주 단위, 1일 단위로 그리고 최종 1시간 단위로 공부량을 정하고 극도의 집중력을 갖도록하였다. 그리고 마침내 대입 예비고사와 본고사를 무사히 잘치렀다.

얼마 후 합격자 발표가 났다. 이번에는 경성대학교 사범대 국어국문학과 학과장학생으로 합격했다. 어릴적 가난으로 인한 차별로 마음의 상처를 받았던 민수가 아니었던가! 자신에게 상처를 주었던 이들에게 대한 복수로 반드시 법대에 가서 검사가 되겠다고 수없이 다짐 하였다.

하지만 막상 민수는 법대가 아닌 사범대에 지원하고 합격을 하였다. 그리고 고 3담임선생님과 교직을 택한다면 반드시 교단 첫수업에 스스로로 정한 목표를 퇴임까지 변함없이 스스로 지켜내려는 노력과 잘못된 관행에 결코 동조함이 없이 순수한 교사로서 교단을 지킬 수 있다고 결심이 서면 사범대를 가라고 하셨다.

그러한 말씀에 대해 약속하고 힘든일이 너무 많은 교직이기에 심신의 어려움이 있을 수 있으니 성급하게 하지 말고 점차적으로 바꿔야 할 것이며 주변에서의 비난과 떠나려는 사람도 있을 것이라는 것을 알고 교직을 가져야 한다고 말씀 하였던 말씀이 생각이 났다. 사실 초심을 퇴임까지 갈 자신은 없을 수 있겠지만 고3 담임선생님과의 약속을 지키고 자신이 선택한 직업에 대한 자부심을 얻기 위해서는 반드시 이겨내야 될 사안들이라고 말씀하셨다. 고3 담임선생님 말씀중에 자신이 교직에 대한 투철한 사명 의식이 있었기 때문에 자신도 이곳으로 올수 있었다고 하였다. 대학에 진학한 민수는 자신처럼 집안사정이 여의치 못해 중학교와 고등학교에 다니지 못한 주변의 공장에서 일하는 젊은 공장 노동자들에게 무료로 야학을 열어 가르치기 시작하였다.

야학을 열어 시작할 때 수혜도 도와 주겠다하여 함께 약학을 운영하기로 하였다. 그리고 시간이 흘러 민수의 대학생활도 3년째접어들고있었다. 학우들의 일부는 사적이익에 대해 지나친 반응을 하는 모습을 보면서 함께할 동료들의 교사자질에 대해 학우들에 대한 많은 실망을 하게 되었다. 이러한 학우들의 모습에 민수는 이들을 설득할 자신이 없었다.

결국 결단을 내려야 했다. 이를 이겨내고 설득할 수 있는인성과 강단을 가지고 서로 다름에 대해 이들을 설득할 수 있기 위해 수양의 필요성을 느껴 3학년 여름방학때 휴학을 하고 세상을 여행하면서 다양한 사람들과 대화하고 이들을 설득할 수 있는 인성을 갖고자 휴학을 하기로 결단을 내리고 현재의 같은 학과의 학우들 과 더 이상 소통하지 않았다.

교직의 순순함을 가지고 있는 민수로서는 처음에는 교직 동료들이 사적 이익을 우선 순위로 삼는 동료들을 부정 부패에서 벗어나도록 설득할 자신이 없었다. 민수는 이를 이겨내기 위해서 현실적 대안을 찾아서 극복할 방안을 찾기고 하였다. 1년간 배낭여행을 통하여 넓은 세상으로 나가 다양한 사람들과 다양한 장소에서 사전 계획없이 부딪치는 인간관계에서 그해답을찾기로하였다. 민수 스스로가 세상을 넓고 깊게 볼 수 있는 안목과 매사 긍정적 사고가 필요하다고 생각했다. 아울러 서로 다름에 대해 받아들이고 소통을 통하여 이해할 필요가 있다고 생각했다. 잘못된 관행에 대해서도 모두가 당연하다고 생각하고 그 잘못을 정당화할 지라도 민수는 이를 함께 같이 하려고 해서는 안되며 이들을 설득하고 올바른 교육을 할 수 있는 자질을 갖추는 것이 중요하다고 생각하였다.

이러한 잘못된 관행은 반드시 사적 이익이 함께 하기에 이를 거절하기에 주변 동료간에 불협화음이 있겠지만 스스로 잘못된 관행을 우선 지켜야 학민투에서 관리자의 잘못에 대해 떳떳하게 문제를 제기 할 수 있으며 아이들 앞에서도 당당할 수 있을 것이라고 생각하였다. 하지만 이러한 민수의 결심은 퇴임시까지 예상을 할 수 없을 정도의 반발을 감수해야 된다는 사실을 알지 못했다. 그러나 담임선생님과의 약속은 반드시 지키고 싶었다. 왜냐하면 민수 너는 할 수 있을것이라고 믿어준 첫 인물이었기에 더욱이 깊은 신뢰를 주고자 하였다.

학과사무실에 가서 아무에게도 말하지 않고 휴학원을 내고 민수는 손에 전국 여행안내 책자 한 권을 들고 계획 없이 밤에는 이동하고 낮에는 사찰과 명산 등과산천 등을 돌며 사찰과성당 그리고 문화재 등을 두루살펴보았다. 그간 민수는 외줄 위에서 칼춤추는 것과 같은 위태 위태한 삶을 살아온 민수였다. 스님과 신부님 그리고 수녀님과 교회목사님 등과 마음 속 애기를 통하여 자신에게 있는 문제점과 부족함에 대한 것이 무엇인지 스스로 여행을 통해 얻고자하였다.

어느덧 시간이 흘러 복학 시기가 돌아왔다. 1년이 물흐르듯 지나갔다. 배낭여행을 통해 나름 얻는 것도 많이 있다고 생각되어 민수는 이번 학기에 복학하기로 하였다. 복학한 민수는 대학 국문과의 문학동아리 회장을 하면서 군부독재에 대항하고 온몸으로 투쟁하였다. 대학별 연계 지하 이념조직의 써클인 "사상과 문학"의 회장을 맡아 주도적으로 이끌고 있었다. 민수는 수혜가 대학 시절에 가입하였던 '사상과문학'에서 밤새워 토론하여 문제점과 그 대안 등을 찾고자 노력하였다.

주로 토론 주제는 국제정세와 선진국과 다국적 기업, 군사 대국인 선진국과 개도국 간의 관계에 관한 토론이었다. 민수는 이념 써클인'사상과 문학'의 회장으로 주도적으로 이끄는 민수에 대해 경찰정보과 형사들은 불온사상 써클로 보고주동자인 민수를 요주인물로 보고 있었다. 또한 한 번씩 경찰정보과에서 형사들에게 조사를 받고 온 적도 있었다. 그런 후에도 수시로 정보과 형사들은 민수주변을 감시하고 있었다. 이러한 민수에게는 특수부대 동기자 대학 동기인 절친한 친구 현우는 걱정하였다.

민수와 현우 간에는 서로 고민도 이야기하고 마음속 이야기도 하는 절친한 사이였다. 하지만 현우는 민수와 둘도 없는 친한 사이이지만 민수의 야학과이념써클 참여와시위관련해서는이해하지 못했다. 왜 저렇게 한다고 바뀌는것이 아닌데 헛된 시간을 보낸다고 생각하고 있었다. 현우는 민수의 저항과 투쟁에 대해 누구를 위한일인지 이해 할 수 없다며 민수와 심한 말다툼을 하곤했다. 현우는 이러한 시간에 자기성적과 개인적 편안함 과 취미활동에 대해 더많은 시간을 할애하라고 하였다. 반면 친구 민수가 시위에 참여하여 구호를 외치고 군부의 폭력에 맞서며

현수막을 들고 돌을 던지고 최루탄에 마스크를 쓰며 쓰러진사람들을 구호하는 등에 대한 민수를 이해하지 못했다. 아니 이해하려고 하는것보다 논리적으로도이해가 안되는 민수가 안타까웠다. 저런다고 군부가 정권을 내놓지 않을 것인데 쓸데없는 행동을 하지 말라고 하는 등 친한 친구인 민수와 만나면 논쟁 으로 인한 갈등만 심화하였다. 민수는 이러한현우에 대해 젊은 지성인으로서 책무를 다하지 않은 무책임한 대학생이라고 하였다.

현우는 군부에 대항하고 구호를 외친다고 달라질 것이 없는 민수의 행동은 광적인 행동이고 헛된 일과 시간을 보낸다며 맞받아치면서 서로에 대한 갈등만을 초래하게 된다. 하지만 민수는 이러한 현우에 개의치 않고 이념써클과 야학을 운영하면서 국제정세와 제국주의 그리고 군사정권의 폐해, 다국적 기업과 선진국의 후진국에 대한 제반 영역에서 침탈 행위에 대해 밤새워 토론하였다.

민수는 현우에게 지금처럼 암울한 시대를 살아가는 젊은 지성인으로 불의에 대해 저항하여야 하는 것이 이 시대를 살아가는 젊은 지성인인 대학생의 사명이자 본분이라고 현우를 설득하고 이해를 시키고자 하였다.하지만 더 이상 대화가 진전되지 못하고 설전으로 끝났다. 민수는 이념 서적과 국제 정세에 관한 서적을 탐독하고 밤새워 토론하면서 우리나라 역시 여기서 자유롭지 못한 다양한 침탈을 받고 있다는 사실도 알게된다.

선진국들의 납등 중금속과 심지어는 방사능 등이 포함된 폐기물을 자국 내 매립 하지 않고 개도국에 팔거나 개도국은 돈을 받고 폐기물을 자국에 활용한다는 미명 하에 몰래 자국에 매립하는 등의 부작용이 선진국과 개도국간의 부패한 각료들에 의해 자행되고있다는사실이다. 우리나라는 스스로 선진국이라고 하면서도 후진국이 받아들이는 폐기물을 돈을 받고 국민건강에는 관심이 없는 듯 일본의 납과 방사능성분이 포함되어있는 석탄 폐기물과 폐플라스틱 등을 정부 승인하에 기업들이 대량으로 수입하고 있었다. 대한민국은 자국 땅에 방사능과 폐플라스틱을 매립하는 등의 국민건강을 해치고 있지만 정부는 폐기물을 수입 활용한다는 이유로 자국에 매립하게 승인하고 있다.

매스컴조차 이를 지속적으로 취급 하지 않고 단편적으로 한두 번 방영하고 외면하고 있는 실정이다. 다시금 우리 젊은 지성인에게 기대야 할 수 밖에 없는 지경이 되었다.이에 대해 우리는 이러한 상황이 왜 전개되어 왔는지 스스로에 다음과 같은 자문을 해볼 필요가있다.

첫째,우리젊은지성인은 과연 아직 살아 있는가?

둘째, 우리 국민은 높은 비판적 이성을 갖고 있는가?,

셋째, 우리 국민은 합리적 의심을 통해 정치권과 집권 정권의 각료들을 잘 감시하고 지켜보고 있는가?,

넷째, 이들 의 정책이 국민을 기만하고 우롱하는 정책은 아닌가?,

다섯째, 관료들의 무책임에 대해 단호한 탄핵과 처벌할 의사를 가지고 있는가?,

여섯째, 우리들은 합리적 비판과 의심을 가지고 있는 이성적선진국국민인가?,

이러한 6가지 질문에 우리의 미래가 달려 있다고 볼 수 있다. 이것은 우리 국민들이 합리적 이성과 판단 그리고 합리적 의심을 갖고 감시하고 감독해야 된다고 생각하였다. 국민 모두가 각자 높은 이성을 갖고 깨어 있을 때 국가 미래를 후손에게 물려줄 때 문제가 없는자원을 물려주어야 되는책무 를 가지고 있기 때문이라 생각하였다.

이러한 국민적 본분과 역할에 충실할 때 암울한 시대가 다시 반복하여 도래하지 않을 것이라고 민수는 생각했다. 한미 방위비 분담금 협정(SMA)에 미국이 우리나라의비용부담을 갈수록 많이 요구하게 되면 결국 국민복지에 사용할 비용은 점차 감소할 수 밖에 없다고 생각하였다.

그렇다고 분담금을 적게 내면 미국이 자국의 불이익에대해 승인할 일은 아닐것이라고 보았다. 결국부족한 만큼 다른 방법으로 그들의 손해를상계하려고 할것이고 이것은 국민의 복지와 연관된 부분에서 충당 할 수 밖에 없을 것이기에 이에 대한 대책과 대안을 간구해야 할 것이라고 생각하였다.

결국 남북관계가 북한의 침략을 전제로 북풍을 이유로 무기구입과 이에 따른 자산을 들어오는데 대해 그 비용을 청구할 수 있을 때 부당한 비용에 대해 어떻게 설득하고 이를 합리적으로 우리나라가 다른 부분에 대해 손실을 감수하지 않고 서로가 윈윈하는 협정을 맺을 수 있는 현명한 정부가 되어야 할 것이다.

과거처럼 미국산 오래된 무기구입이나 농수산 또는 축산물을 대상으로 수입을 강제하여 이익을 보전하여 충당하려는 것은 아닌지 합리적의심을 할 수밖에 없다고 보았다.

우리국민의 이성적 판단과 진보와 보수 어느진영이든 선거에 이기기 위해 북풍곽 같은 국민 갈라치기와 분열을 책동하는지를 잘판단하여 신뢰와 믿음을 걷두어 들이거나 지지를 통 해 이를 무력화 필요가 있다고 본다.

이는 국민적 의식 수준에 달려있다고 본다. 안보에 대해 국민 스스로가 주체가 되어 자신과 가족의 안전과 안녕을 위 한냉철한 판단만이 자신의 안위를 보장받을 수 있다. 국제정세를 읽고 주변국의 태도를 잘 분석할 필요가 있다.

오늘날 수년간 전쟁을 치루고 있는 우크라이나전쟁은한반도의 미래의 전쟁상황이 될수 도있기에 여기서 얻은 교훈에 대해 심도있는 고민을 해야 할 것으로 본다. 현명한 국민적 판단은 사할이 걸린 득표를 위한 보수진 영의 유권자표를 응집하고자 한다.

또한 합리적 의심을 통해 올바른 판단을 할수 있는 이성을 대다수 국민가지고 있다면 선진국형 국민으로 거듭나게 되어 주변국에서도 부러움을 살것이라고 생각이 한다. 따라서 아무 조건 없는 혈맹국인 미국이 자국의 안보를 무조건 지켜 줄 것이라는 막연한 바램이 합리적 의심을 벗어날 수 있는지 진지하게 분석해 볼 필요가 있다.

냉철한 이성만이 우리의 안보와 국민적 안전을 돌볼 수 있을 것이라고 생각한다. 남북간 군비확충은 결국 대한민국이 떠안게 된다는 사실은 국민의 몫으로 남게 된다. 우리의 자국의 안보는 우리가 아닌 제3자인 그 누구도100% 책임질 수 없기에 미국의 이익에 따라 한반도는 그 안보 개입이 한쪽으로 기울게될 것이다. 즉, 한국이거나 일본을 통해 자국의 이익이 큰 쪽으로 미국이 움직인다면 아마도 일본일 가능성이 90%일 것이라고 유추할 수 있다.

따라서 올바른 이성을 갖고 세계국제정세를 읽고 이성적 판단을 잘할수있는젊은 지성인인 대학생에게 기대할 수밖에 없는실정이 아쉽기만 하였다. 따라서 남북관계는 전쟁보다함께 공존하는 평화협정이 필요하다는 생각은 국제정세관련 토론을 통해 최종 얻은 결론이기도 하다.

현우는 민수의 성화에못이겨 야학을 도와 주고 반딧불독서회에서 국제정세관련 토론과 이로 얻은 결과에 대해 젊은지성인인 대학생들이 할 일이 무엇인지를 함께 토론하였다. 아울러 이러한 문제점과 대안을 찾는과정에서 조금은 알수 있을 것 같았다. 이전에는국제정세는 현우와 무관하다고 생각하였다. 하지만 결국 자신이 연결되어 있다는 사실을 알고 놀라웠다.

그간 민수에 대한 적의찬 언행에 대해 미안한 생각이 들었다. 현우 는 더욱 열심히 이념 써클에서 토론하고 관련 서적을 읽으며 자국의 안위는 결국 자국에서 지켜야 하며, 군사 대국이나 주변국에 넘기는 순간 자국의 어린이와 여성들에 대한 불행을 가져 오게 된다.

어린이와 여성들은 나의 가족이며 자녀이기에 이들에게 전쟁으로 힘든 말 할 수 없는 상황을 겪게 할 수 없으며 혼자인 경우라도 결국 전쟁에 나가 싸워야 할 것이며 여기서 살아남는다는 보장은 아무도 할 수 없기에 어떤 상황에서든 평화적 협약이 자국의 국민의 안위와 안보 그리고 가족 해체를 막을 수 있는 최선의 길이기도 하다고 볼 수 있다. 즉, 젊은이들은 전쟁터와 생사를 함께해야 하며, 사회기반 시설의 파괴와 경제적 피폐함에서 벗어나지 못하게 된다는 것을 알게되었다. 결국 부녀자와 아이들이 제일 먼저 피해를 볼 수 밖에 없다는 사실을 우리는 우크라이나 전쟁을 뉴스를 통해 보면서 처참한 그들의 삶과 가족해체 그리고 성폭력 등에 무방비로 노출될 수 있는 환경이 전쟁이기 때문이다.

또한 국가경제와 기반시설은 피폐해지는 지경까지 갈 수 있다. 이러한 복구는 기약없는 복구임을 우리는 625를 통해 알 수 있기에 어떤 경우든 전쟁은 막아야 된다고 본다. 그러기 위해서는 스스로 우리가 국민의 안위를 지킬 수 있는 군사적, 경제적 대안책과 국제적 협력과 협조가 있어야 될 것이다.

현우는 민수가 왜 그토록 저항하고 투쟁하는지를알 수 있었다. 군사 대국의 속성상 자국의 이익에 반하는 경우는어떠한 조약과 협정에도 신뢰를 떠나 자국의 국부 확보를 위해 국제간 비정한결정을 내릴 수밖에 없기 때문이라는 사실을 현우는알 게 되었다.

여기에 그 피해가 자국은 물론 바로 자신인 젊은 지성인들이 생사를 알 수 없는 전장에 나가야 된다는 사실도 알아야 한다. 혈맹의 우방일지라도 결국 자국의 이익에 반하는 무상지원과 투자는 안하기 때문이라는 사실을 역사가 증명하고 있고 우크라이나 전쟁에서 우리 두 눈으로 분명하게 지켜보고 있기 때문이다. 현우 역시 이러한 사실을 접하고 대다수 국민들 역시도 이전의 현우와 같은생각으로 혈맹인 미국이 우리를 지켜줄것이라는생각하는 우리나라의 보수층은 현명한 판단을 할 필요가 있다고 보며 그럴 필요가 있겠다고 생각했다. 국민들 모두가 최고의 지성인이 되어 국제정세와 현실을 정확히 인식할 필요가 있다. 또한 일방적인 매스컴의 뉴스와 정치권의 이념전략으로 국민간 갈라치기와 국민간 왜곡되게 바라 보게 하는 원인은 정치권의 선거전략에서 비롯된 것이라고 보았다.

결국 내 가족도 지키고 자녀도 지킬수 있으며 자신도 지킬 수 있다는 사실을 현우는 이제 정확히 알 수 있었다. 이를 부정하고 진보와 보수에 대한 일방적 판단으로 한쪽만 우월하 다고 하는 잘못된 인식을 갖게 된다면 그 피해 대상이 바로 자신들의 자녀와 부녀자 그리고 어린아이들과 젊은이들이 전장에서 생사를 넘나들수있기에 더욱 많은 관심을가져야한다.

지혜롭지 못한 장수는 부하뿐 아니라 식솔까지 죽음을 초래하게 할수 있다는 사실을 우리 국민들은 알아야 한다고하며 주민계몽에 좀더 많이 관심을 두도록해야겠다고 민수와현우는 생각하게 된다. 민수는 대학의 사상과 문학 써클의 회장이면서, 야학교 반딧불독서모임과 야학교 교장의 직책을 가지고 있다.

민수는 무료 야학을 통해 중·고등학교의 학력과 함께 젊은이들이 국제 정세에도 눈을 뜨게하고자 하였다. 현우는 야학선생님들이 봉사정신과 젊은지성인으로 자부심을느끼고 야학 학생들을 가르치고 있는 모습을 보면서 점차 마음을 바꾸게 된다.

주민계몽과 야학생들에게 국제정세와 군부독재의 자국민 살상등에 대한 문제와 이를 막지 않으면 결국 자신도 그들의 희생양이 되어야 한다는사실도 이제는 잘알게 되었다. 현우는 친구 민수와 함께 군부독재에 저항하고 이념써클에 가입하여 활동하게 되었으며, 민수와 수혜는 미래를 희망찬 우리 사회를 위하여 함께 손을 맞잡고 나아가자고 하였다. 어두운시대에도 불구하고 용기와 희망을 지니고 투쟁하는 민수 와 수혜를 통해 우리 인간의 강인함과 사회적 변화의 중요성을 보여 주었다.

민수는 복학 후 남은 교직과목과 교생실습을 마무리 짓고 경성대학 국어 국문학과 장학생으로 졸업하였다. 민수는 젊은 지성인 대학생으로 그 본분을 다하기 위해 온몸으로 독재정권에 맞서 싸우며, 치열했던 독재정권과 시위대의 대치 속에서도 시위대와 함께 용기를 가지고 할 수 있었던 것은 단 결된 민중가요로 한마음이 되어 저항할 수 있었기 때문에 한뜻으로 나갈 수 있었다.

어떠한 정권이든 국민의 이성적 판단을 흐리게 한다면 그들의 신뢰를 대선과 총선에서 거두어 들일 수 있어야 할 것이다. 정치권과 군부가 국민들을 무서워해야 불행한 사태를 맞지 않게 된다.

우둔한 국민은 스스로 불행을 자초하기에 우리 국민은 현명한 국민임을 분명히 정치권에 또는집권정당각료에게 보여줄 필요가 있다고 본다. 우리 모두가 함께 할 때 그 어떠한 속임수 정책도 비껴나갈수 없는 이성을 가진 국민들이라고 할 수 있었다. 민수는 복학 후 남은 교직과목과 교생실습을 마무리 짓고 경성대학 국어국문학과 장학생으로졸업하였다.

졸업이후 민수는 임용고시에 좋은 성적으로 합격하여 고등학교 국어교사로 임용되었다. 당시 사회적 혼란이 있었다. 6월 항쟁의 도화선이 되는 큰 사건이 발생 했다. 전두환 정권의 탄압과 그에 대한 저항은 1980년대 중·후반에 더해가고 있었다. 6월 항쟁 전후로 두명의 대 학생이 공권력에 의해 사망했다. 이는 6월 항쟁의 도화선이 되었다. 6월 항쟁이 있던 해1월에 서울대생 박종철의 고문사망 사건과 6월 항쟁이 있던 전날인 6월 9일 연세대생 이한열의 최류탄에 피격되어 사망한사건이다.

서울대생 박종철의 고문중 사망사건은 경찰이 '민주화추진위원회사건' 관련 수배자 박종철의 선배의 소재를 알기 위해 경찰은 박종철에게 폭행과 전기고문, 물고문 등을 가했다. 박종철은1987년 1월 14일 치안본부 대공수사단 남영동분실 509호 조사실에서 사망했다.

같은 달 15일 치안본부장은 단순 쇼크사인 것처럼 발표했다. "냉수를 몇컵마신 후 심문을 시작, 박종철군의 친구의 소재를 묻던중 갑자기 '억'소리를 지르면서 쓰러져, 중앙대부속 병원으로 옮겼으나, 12시경 사망하였다"고 공식 발표했다.

부검의 증언과 언론보도등으로 의혹이 제기되자 사건발생 5일 만인 19일에 물고문 사실을 공식 시인하며 수사경찰 2명을 구속했다.

정부는 내무부장관과 치안본부장의 전격 해임과 고문근절 대책 수립 등으로 사태를 수습하려 했다. 당시 경찰은 박종철을 통해 수배중인 박종운의 소재를 파악을 위해 그후배인 박종철을 불법으로 체포했다. 검찰은 박종철이 수사기관의 가혹행위로 인해 숨졌을 가능성에 대해 조사를 하였다.

수사단은 조사결과 1987년 1월 14일 치안본부 대공수사단 남영동 분실 509호조사실에서 사망했다. 11시 45분경 중앙대 용산병원 의사가 현장에 도착해 검진했을 당시 이미 숨져 있었다. 경찰은14일 밤에 사건을 은폐하기 위해 화장할 계획이었으나, 검찰에서 사체보존명령을 내렸다.

 사건 지휘는 그날 밤 당직이었던 검사가 맡았다. 사건 다음 날 1월15일오후6시가 넘어 한양대 병원에서 부검이 실시되었다. 부검 결과 온몸에 피멍이 들고 엄지와 검지간 출혈 흔적과 사타구니, 폐 등이 훼손되어 있었으며 복부가 부풀어 있고 폐에서수포음이 들렸다.

 부검은 국립과학수사연구소 부검의사가 맡았다. 군부와 경찰의 협박과 회유를 물리치고 1월 17일 부검의는 보고서를 작성했으며, 1년 뒤 부검 과정에서 받았던 경찰의 회유와 협박을 받은 내용을 적은 일기장을 언론에 공개하기도 하였다.

 이와 같은 달에 6월 항쟁 전날 6월 9일 사망한 이한열은 평소에 .'행동하는 양심으로 부끄럽지 않게'살고자 하였다. 어떤 일을 할때도 섣부르게 나서는 대신 조심스럽고 진중했다. 솔직한 사람이었다. 때로 무력이 동원되는 시위가 두렵다고도 했다.

 그래도 앞에 서야 할때는 용기와 의무감을 갖고 나섰다. 당시 시위대 맨 앞줄에 나섰던 87년 6월9일, 직선으로 날아온 최루탄에 27일간 사경을 헤맸다. 많은이가 그로인해 울었고, 그로인해 6월항쟁의기폭제가 되어 거리로나섰다.

 그리고 그런 마음, 그런 움직임이 모여 그해 6월 29일 대통령 직선제를 쟁취 할 수 있었다. 그는 다시 일어나지 못한 채 혼자 먼 길을 떠났다. 7월5일 새벽2시5분. 향년22세. 나흘 뒤 그가 장지인 광주로 향하는 길에는 160만 국민이 함께했다. 짧지만 빛났던 그의 영혼이 담긴 몸은 망월동 5.18 묘역에 뉘어 긴 안식에 들어갔다.

제 08장 비목

민수는 대학을 졸업하고 그해 교직 임용고시에 우수한성적으로 합격하였다. 좋은 성적덕에 서울관내 고등학교 국어교사로 1순위로 발령받았다. 민수는 초임 교사로서 첫 직장을 갖게 되었다. 첫 직장인 학교의 현실은 열악하고 민수가 꿈꾸던 그런 학교는 아니었다.

첫 직장뿐 아니라 이후에전근 가는 학교도 예외는 아니었다고 해야 정확한 생각이었다. 민수는 꿈과 현실 사이에서 좁힐 수 없는 갭이 있다는 것을 느꼈다. 전근 가는 학교마다 부조리와 비리로 가득했다. 학교 비리에 대해 민수는 수년간 학교측과 협상하면서 다소나마 정상화되고는 있었으나 그에 따른 부작용은 민수의 몸과 마음에 평생 씻을 수 없는 상처를 감내해애 할 반발과 대적할 동료교사간의 불신이 상상을초월했다.

같은 동료교사 간 파벌이 심했고 소위 관리자와 평교사 사이에 갈등이 심화하여 있었다. 대부분이 스스로 중도라고하는 사람일수록 학교 관리자 측근에 가까운 경우가 많았다. 민수는 학교측과 관리자의 동료 교사들로부터 블랙리스트1위로 올라와 있었다. 동료들은 이미 불합리하고 부조리한 시스템에 물들어 있어 민수의 부정부패와 참된교육 그리고 학교 운영의 민주화 등 교육에 대한 당위성을 이해하지 못하고 불만과 불편을 토로하고 반발하며 심한 욕설과 몸싸움으로 시비를 걸어 왔다.

당시 학교상황은 일부 교사중에는 기존의 잘못된 관행 속에 쉽게 부당한 수당을 지급 받고 있었다. 민수가 이러한 잘못된 관행을 없애야 우리가 아이들앞에 떳떳하고 당당하게 설수있지 않겠냐고 하였지만 그들은 불로소득을 포기하기가 쉽지않았다.

불법적 수당을 수령하는 잘못된 관행을 버려야 한다는 민수를 불편해하였다. 심지어는 곡해하고 오해를하는 등 불편한심기를 드러냈다. 하지만 민수는 여기서 포기할 수 없었다. 이미 각오 하고 시작한 부조리와의 싸움이기에 다양한 소통 방법을 찾아 일대일로 설득하였다.

하지만 이 과정에서 주인공 민수는학교측과 동료교사들로부터 심각한 갈등을 겪게된다. 특히 수당과 학습용소모품, 시설관련 소모품 등이 상식을 벗어난수치에 소모품 대장에 기재되어 있 었다. 그리고 과다 책정된 학교장 업무추진비 등도 상당히 많았 다. 민수는 이러한 과다 계상된 예결산을 절감하여 청소시간과 수업시간에 학습권을 침해하는 화장실 청소에 대해 과도한 청 소지도임을 알리고 청소 전담용역을 주는 것으로 학교장과 협 상을 통해 결정하였다.

물론 예결산위원회를 통해 최종 확정하였다. 이로 인해 청소 담당교사와 아이들은 수업을 정상적으로 받으며 자신들의 부족 한 공부를 할 수 있는 시간을 확보할 수 있어 다행이었다. 이외 에도부당한예결산집행에 대해 시정할 것을 강도 높게 요구했다. 하지만 잘못된 관행의 척결에서 제반 수당이나출장비등일회성 현금수령과 관리자 권한과 관련된 예결산 관련 예산편성시 알 아서 과대 책정하여 주기도 하였다.

또한 시험관련 감독수당을 부정하게 수령하는 경우가 종종 있기도 하였다. 담당자가 시험감독을 하지 않거나출근하지않은학교장에게 수당을 받을 수 있게 하는 압력을 담당자에게 주어 어쩔 수 없이 챙겨주어야 하는 경우가 대부분이었고 일부는 스스로 자신의 편안을 위해 알아서 챙겨주는 관행을 척결하는것은 쉽지 않다.

이에 대한 참된 교육과 아이들 앞에 당당해 지려면 불법에대해 결코 타협해서 안되며 단호하게 거절해야한다고 설득하지만, 윗사람에 대한 눈치와 다하는것을혼자 안해서불이익을당할수있다는 심리적압력에 스스로 수당을 챙겨 주는 경우도 있었다. 하지만 이러한 사소한 수당일지라도 잘못된 관행이라는 것을 알고 있으면서 이를 지키지 않는 스스로 고치고자 하는 자정할수있는 도덕성까지 무디게 만든 탓이라 본다.

민수는 이를 강도 높게 비판하고 시정을 요구하였다. 학교 측 교사는 물론 함께 활동하던 교사들조차도 불편해하였다.

하지만 민수로는 어쩔 도리가 없었다. 잘못된 일인줄알면서도 학교장에게 잘보이거나 개인적 사적이익을 위해 스스로 자정노력을 하지 않으려는 사람들에게 조합을 탈퇴하겠다는 사람들에 대해서 개인적으로 참으로 안타깝지만 막을 수 있는 명분은 없었다.

부조리와 부당함에 대한 행위는 전국교직원노동조합의 목적과 참된 교육의 근간을 해치는 일이라 결코 묵인할 수 없었기 때문이었다. 이러한 사소한 것부터 불편함을 느낀 동료 교사들로부터 민수보다 나이가 적음에도 불구하고 거친 폭언과 협박그리고 몸싸움 등으로 시비를 거는 등의 수난을 감수해야 했다. 참된 교육을 하겠다고 담임선생님과 약속을 지키기 위해 감내해야 되는 일이었기 때문이었다. 하지만 주인공 민수의 노력과 열정 그리고 다양한 소통을 통해 동료 교사를 설득하여 점차 학교 민주화는 정상화되어 갔다.

민수의 학교 학사 운영의 민주화와 더불어 학생회를 통하여 학생인권도 함께 추진하기로 하고 학생회를 주관하는 학생과 배정을 신청했다. 학생과는 학생 관련 상벌과 징계 관련 업무가 많아 교사들이 잘 신청하지 않는 부서이었다.

민수의 학생과 지원이 받아들여져서 학생과 부서로 자리를 옮겼다. 학생회를 일단 소집하고 학교 관련 좋은 방안에 대해 말해보라고하였다. 관련안건에 대해 학생회장과 부회장은 학생 회 첫 회의를 하였다. 처음에는 잘 말하지 않다가 나중 민수의 진심인 것을 알고 불편했던 학교 규정과 학생 인권 등 제반 문제에 대해 편안하게 토론하는 분위기로 되어 가면서 열띤토론 이 이어졌다. 학생회장인최봉주와부회장인강하늘이회의를 잘 이끌고 가면서 많은 좋은 아이디어를 많이 적어 왔다.

학생들은 자신들의 의견이 반영되는 것을 보며 더 적극적으로 학교생활에 참여했고, 교사들과의 관계도 개선 되었다. 민수의 학교는 이제 학생들의 참여와 의견이 존중받는곳이 되었다. 민수는 학생들과 함께 학교민주화를 이루어낸 것에 큰 자부심을 느꼈다.

민수의 제안에 공감한 몇몇 교사들이 그의 아이디어에 힘을 실어주기 시작했다. 그들은 학생들과의 소통을 강화하고, 학생들이 학교 운영에 참여할 수 있는 다양한 방법을 모색했다. 민수와 동료 교사들은 학생회와 함께 학교 민주화를 위한 첫 프로젝트로 학생들의 아이디어를 수집하고, 학교 정책에 반영하기 위한 토론 회를 개최했다.

민수와 그의 동료들은 학교민주화가 한번의 프로젝트로끝나는 것이 아니라, 지속적인 노력이 필요하다는 것을 알고 있었으며 학교 민주화를 위한 새로운 아이디어와 프로젝트를 계속해서 추진해야 한다고 생각했다.

이처럼 민수가 학교민주화를 위해 어떻게 협력하고, 학생들의 참여를 증진하며, 학교문화를 변화시키는지를 보여주는 기회가 되었다. 이처럼 교육공동체의 모든 구성원이 함께 고민하고 노력할 때 학교가 얼마나 긍정적으로 변할 수 있는지를 보여주는 희망적인 메시지를 얻게 되었다.

교육 현장의 부조리에서 가장 중요한 것으로 학생성적 관련 처리이다. 지금도 종종 성적 관련하여 매스컴에 중요 이슈로 보도되고 있지만 당시에는 성적관리가 철저하지 못했다. 일부 문제 유출이나 개인적 친분에 따라 문제의 일부도 유출되는 경우도 있었다. 또는 교무실 캐비넷에 보관되어 있는 시험문제지를 담당과목이아닌 타과목 선생님들도 열어볼수 있었기에 문제지 봉함없이 있는 문제 1~2장 꺼낼수 있기는 그렇게 어려운 것도 아니었다.

70년대 전후에 문제지 복사는 소위 가리방이라고 하는 인쇄 등사기를 사용하였다. 기름지라고 하는 파라핀 또는밀납으로 만든 기름지에 경필 인 철필로 써서 가리방으로 밀어 인쇄하는 방식으로 당시에는 대부분 사용했던 등사 방식이었다. 요즈음 말하는 복사기 원조라고 볼 수 있다. 등사기로 잘못 나오는 불량 시험지는 파지가 되어 별도 소각 없이 서무과 뒤편에 있는 쓰레기장에 그냥 버리거나 적당히 찢어 버리기도 하였다. 눈치 빠른 아이들은 밤 늦게 서무실 뒤쪽 쓰레기장에 와서 시험지퍼즐 맞추기로 일부문제를 알아내기도 하였다.

또한 성적 관련 부조리에는 선생님들의 자녀를 자신이 근무하는 학교로 전입시키거나 입학시켜 시험 때 서로 상부상조하는 청탁으로 시험 채점시 부정한 방식을 상호간 요구하기도 한다고 하 였다. 부조리에는 빠질수 없는 상장 수여도 있는데 교사로서 그다지 심각한 문제로 인식하지 못해서 나오는 산물이라고 볼 수 있었다.

어쨌든 민수는 이러한 부조리에 대해 직원회의 시간에 문제를 제기 하였고 관련교사들은 강한불만을 나타냈다. 하지만 개의치 않았다. 이러한 성적관련 부조리가 점차줄어들었다.

당시 컴퓨터로 성적처리시 교육청 지원으로 성적관리를 학교에서 신청하면 일부지원이 가능하다고 하였다.민수는 학교장에게 성적관련 문제가 많은데 컴퓨터를 이용하면 사람이 개인적 접근 할수 없고 정확한 성적처리로 민원이 발생할 수 없으며 다른 학교에 비해 본교에서 먼저 시행하면 입학생 모집에도 성적의 투명성 등으로 지원율이 높아질 것이 라고 설득하였다.

처음에는 별로 탐탁하게 생각하지 않고 있다가 컴퓨터 도입시 장단점을 적어 내부 기안으로 올렸다. 민수가 이를요청한것은성적의 부조리가 많아 이를 줄이기 위한 좋은 방안으로 보았으며 또한 타 학교에 비해 우수성과 신뢰성을 갖출 수 있는 점으로 신입생 유치에 상당한 효과에 있음을 강조하였다. 시스템 도입에 필요한 부품과 용지 그리고 운영 프로그램 등을 섭외하여 가장 건실한 곳에 컴퓨터를 도입하고 기본적인 성적프로그램 운영에 필요한 프로그램을 제공할 수 있는 곳으로 도입을 결정하였다.

컴퓨터를 통한 성적처리는 정확한 예측을 할 수 있고학부모로부터 신뢰성과 공정성을 인정 받아 신입생 지원율이 상당한 수준으로 오르자, 학교장은 좋아하였다.하지만 민수는 수업 등 일반업무와 담임 등 모든업무를 하면서 추가로 성적관련 및 입학관련업무로 밤새하기 일쑤었다. 특히 겨울에는 추위에 약한 시스템문제로 에러가 잘 나오는 편이라 항상 유념하고 있어야 되었다.

성적실의 추위와 업무과다와 장소의 협소함으로 민수는 몸과 마음이 많이 지쳐가고 있었다. 민수는 학교 민주화의성적 투명성을 위해 성적처리를 그만들 수 없었다. 민수는 3년간 제반업무에 학사업무까지 하면서 민수의 증상은 점차 심해져 병가를 냈다. 후임교사에게 세부사항을 전달해 주고 개인병가로 집에서 요양하고 있었지만 성적처리에 오류가 생겨 해결을 못하고 있었다.

달리 방법이 없어 다시 출근하여 살펴 보니성적처리 항목 적용에서 일부 적용해야 하는데 모두적용을 시켜 결과의 로직오류를 가져왔다. 후임교사에게 물어보니 착오로 그런 것 같다고 하였다. 성적처리를 맡은 교사는 민수가 처음부터 잘못 가르쳐 주었다고 하였다.성적처리를 다시 정상화해 놓고 오류에 대한 문제와 처리결과를 학교장에게 후임교사의 잘못된 운영처리로 일어났음을 인지시켰다. 이로써 민수는 학교 업무에 대해 학교 측 지원이 없는 업무는사전에 협의하는 것이 바람직 하다고 생각하였다. 어쨌든 컴퓨터의 성적처리와 관리로 성적의 투명성과 공정성에 대한 벤치마킹의 모델로 본교가 교육청 선진기자재활용 성공사례로 보고 되었다. 신입생 지원율이 이에 따라 상당히 높은 계기가 되었다.

그러나 심신의 악화로 3년간 하였던 전산실 운영을 그만 두었다. 이후 후임교사를 가르쳐 주어 운영하도록 하였다. 학교측의 부당한 대우에 많이 힘들었지만 전산에서 손을 뗀 이제는 더 이상 관여하지 않았다.

소통의 기본적인 것은 더넓은 시각으로 바라볼 때 서로 다름에 대해 이해되고 극복할 수 있음을 알 수있게 되었다는 내용이었다. 민수는 이처럼 '미러드라이브'의 주인공 리나와 같이, 현실은서로생각 차이로 많은 갈등이 있지만소통하고 넓은시야를갖고 대하며 서로를 이해할수 있다고 믿고 있었다.

따라서 새로운 교육적 시각을 갖고 상대를 깊게 이해하고 다양성을 인정하면서 설득하면 해결될 수 있는 문제가 많다는 것을 알게되었다. 하지만 교육현장에는 본인의 이익에 대한 부분에서 한치도 물려 서지 않아 쉽지 않은 소통의 과정을 겪었다 .

민수는이러한 소통방식에서 주변의 만류와 반대 그리고 비현실적이라는 소리를 수시로 들었다. 하지만 담임 선생님의 가르침으로 교육에 대한 자신만의교육현실을찾아교육 철학을 형성해나가고자하였다. 이러한 상황에서 주변의 눈총은 따갑게 다가왔고 비난으로 돌아왔다 ."이 선생! 그렇게 혼자 바둥거린다고교육환경이 바뀌지는 않아!"하며 비아냥거렸다. 또는 "민수선생! 모난 돌이 정을 먼저 맞는 법이야! 혼자 그렇게 잘난척 하지 말고 현실을 알고 살아야지, 안 그래?"라며 거친 말로 쏘아붙였다. 교육의 현장에서 불의와 부당함에 맞서 싸우는 민수와 학교 측의 교사 간의 갈등은 더욱 심화하였다. 하지만 민수는 그들과 소통하려는 노력을 포기하지 않았다. 교육 주체인 학생들과의 교사들 간의 협력을 통해 교육현장에서 부조리를 몰아내고 아이들 앞에 당당하게 설수있는 몸가짐을 가져야 한다고 생각했다.

민수의 이러한 노력은 학교 교육현장의 긍정적 변화를 끌어내려는 노력으로 나타났으며 점차 동료들도 변해가고 있었지만, 어느 과정에서는 한계로 드러났다. 민수는 교육현장에서 교육주체간 소통의 중요성을 잘 알고 있었지만, 각자의 주장만 옳다고 생각하여 상호간 소통을 통한 협력을 얻어 내기가 쉽지 않았다.

소통의 브릿지의 프로그램을 통해 학생, 학부모, 교사가 함께 참여하는 다양한 활동을통해 서로의 생각과 감정을 나누고, 학교생활의 모든 측면에서 소통을 증진하는 것을 목표로 했다. 시간이 지나자, 변화의 바람이 불며 민수의'소통의 브릿지'는 큰 성공을 거두었다. 학생들은 더 활발히 참여 하고, 부모님들은 학교에 대한 신뢰를 회복했으며, 교사들은 교육의 질을 높이는데 더 집중할 수 있게 되었다. 이로써 민 수는학교민주화에대한 새로운시스템을구축하고자 하였다.

민수는 이제 학교뿐만 아니라 마을 공동체 전체에'소통의 브릿지'를 확장할 계획을 세웠으며 그는 교육이 단순히 지식의 전달이 아니라, 사람들 간의 소통과 이해를 통해 이루어지는 과정임을 깨닫게 되었다.

민수는 이러한 교육현장에서 소통의 중요성과 그것이 가져오는 긍정적인 변화에 대한 성공사례로 교육청에 보고하였다. 민수는 소통의 가교로서 학생들의 목소리를 듣고, 학부모와 교사들의 이해를 돕는 역할을 통해 교육 주체와 지역 공동체간 더욱 단단하게 성장할수 있었다.

제 09장 윤회

대다수 직장인들은 첫 직장에서 많은 실망을 하기도한다고한다. 꿈과 이상이 큰만큼 현실과 이상의 갭은 생각보다크다.

민수 역시 지금의 힘든 상황에서 그래도 버티고 있는 것은 언젠가는 이렇듯 힘든 상황이 기쁜 상황으로 바뀔 수 있을 거라는 윤회사상에 대한 믿음에서기인한다. 그리고 아이들에 대한 사랑과 담임 선생님과의 약속 그리고 자신의 올곧은 신념을 변치 않고 정년퇴임까지 갈 수 있는 노력을 경주해야 된다고 보았다.

지금 최선을 다하는 것이 결국 퇴임까지 그렇게 된다는 전제하에서 이겨 나갈수 있다고 보았다. 지금 힘든 일은 언젠가 기쁨으로 윤회설에 따라 변할것이란 확신을 가지고 일을한다. 난 불교도, 기독교도 아닌 종교가없다. 하지만 힘들때는 마음속의 종교에 기대어 기도를 한다. 생각은 불교로, 행동은 기독교인 셈이다. 힘든 일을 참고 하는 것이 아닌 즐기고 신념에 따라 하다보면 자부심도 그리고 세상 일 역시 좋아질 것이라고 생각하여 본다. 또한 민수는 간절한 소망, 간절한 신념, 간절한 소원 등은 기적으로 나타 난다는 믿음 또한 있다. 올곧은 신념과 올바른 언행으로 안팎에서 교사로서 그 행실이 모범적이고 정직해야 된다는 것이 민수만의 교직철학이다.

세상과 더불어 살다 보면 교사로서 해서는 안되는일들이 참 많다. 교사는 사람이니 그렇수있다는 논리 는 자기합리화이니 옳다고 볼수는 없는듯하다. 이제는혼자가 아닌 여러사람이 함께 학교민주화를 그리고 참교육실천을 비난받지 않고 하고 싶다. 이것이 진심이고 내가 갈망하는 소원이다. 이제 이러한 일을 하고자 한다. 학교 민주화를 위해서는 혼자 보다는 다수의 인원이 좋아하고 즐기며 할 수 있다면 더욱 좋은 결과를 가져 올 것이라고 생각하였다.

함께 할 때 더욱 즐겁다는 생각이 중요한 과정이라고 생각한다. 개인적 접근으로는 학교현장의 부정부패와 부당하고 불법적인 부당한 제반수당수령과 민주화 및 참된 교육실천에 한계가 있었다. 민수는 많은 고민 끝에 전국교직원노동조합 분회을 결성하기로 하였다. 현재 상황으로는 결성 자체에 참여할 인원이 극히 일부겠지만 소통하고 설득해 가며 시간을 갖기로하였다. 민수는 이학교에는 조합원이 세 명 있다는 말을 들었다.

어쨌든 민수는 노동조합결성에 세 명은 확보가 된 셈으로 다행으로 생각하였다. 그들에게 교육동료로 함께있는 동안 서로 잘 지냈으면 좋겠다고 하였으나 별다른 반응은 보이지 않았다. 이후 좀더 많은 정보를수집하고 교사들의 불만과 아이들의 교육환경에 대해 자료를 수집하고 정보를 정리하여 보니 생각보다 심각한것같았다. 지금 힘든 과정은 불교에서는 전생에 보은을 해줄 사람을 그리하지 안해서 생기는 갈등이라고 한 것은 아닌지 민수는 자격지심으로 생각하여 본다.

지금 이생의 갈등을 잘 해결하고 극복한다면 다시 윤회되어 새로운 삶을 살때기쁨으로 바뀔 수있다고 한다. 민수는 이러 한 생각으로 즐겁고 즐기며 아이들을 사랑하고 이해하려고 하였다. 이러한 과정에서 좋지 않는경험에 대해 하나씩 실타래 풀어가듯 한다면 결국 좋은 결과가 반드시 올것이라는 확신을 갖고 있다. 특히 교직의 본분에 대해 교사로서 기본적 자세이기에 중요한 역할시 힘들때마다 담임선생님의 말씀을 되새겨 본다.

하지만 전체적으로 모두가 그이익을 갖지 못할수 있는 사건이 있을 것으로 보고 그때를 이용하여 설득하기로 하였다. 마침내 그러한 사건이 일어났다. 이전에 확보한 정보였던 학과개편에 대한 논의가 공식적으로 직원회의를 통해 전달되었다. 결론은 없어지는 교과목과 축소된 수업시간으로인한 초과인원에 대해서는 현재학과 개편관련하여 정리중이니 참고 하고 있으라고 하였다.

 민수는 이때를 이용하여 공개적인 질의와 교사들에게 불이익이 있을수 있는 질의를 하였다. 회의말미에 궁금 사항 있으면 개인적으로 자신에게 내려와 물어보라고 하였다.

 민수는 이에 대해 손을 들고 질의응답에 대한 문제를 제기했다. 그 동안은 관리자는 민수에 관해 이야기는 듣고 있었지만 크게 우려 하지는 않았던 것 같았다.

"교장선생님! 본교 학과개편 관련해서는 교사 전체에 관한 교과목 변경이나 인원수에 변동이 있을수 있는데 공개적으로 이부분을 회의시에 논의 했으면 좋겠습니다!"라며 논의를 공개적으로 할 것을요청했다.

일순간 직원 회의 분위기가 싸늘해졌다. 그럴것 이 지금까지 학교개교 이래 그 누구도 학교장에 대해 공개적으로 질의하거나 문제를 제기한 교사가 한 명도 없었기 때문이다.

주변 동료교사의 반응은 우려반, 걱정반, 뭘, 몰라도 한참 모르는 사람으로 치부되었다. "이 선생! 학교장이 그렇다면 그렇게 알고 있으면 된 거야!" "뭘 따지고 그래! 학교 일은 학교장이 모든 것을 결정하는지 몰라?" "그리고 개인적으로 궁금한 것 있으면 내려와서 이야기 하라고 한것도 기억 못 하나?", "그런 기억력으로 어떻게 학생들을 지도하고 그래!"라며 핀잔과 불쾌감을 내비쳤다. 그리곤 바로 회의를 끝 내버렸다.

오늘같이 학교장에게 정면으로 도전하여 문제제기와 중요과정에 대한 문제점을 언급한 사람이 없었기에 모두 경악할 정도였다. 회의 끝나고 교무실로 가면서 교사들의 반응은 각양각색 이었다.

그간 불이익을 받는 교사들은 시원하다고 말하고, 학교측 교사들은 건방지다고 말하고, 나머지 교사들은 '뭘몰라도 한참 모르는 사람'으로 치부하였다. 심지어는 이선생 때문에 회의가 길어져 퇴근 시간이 늦어지게 되었다고 불만을 하였다. 어쨌든 민수는 오늘은 이 정도로 하고 교사들의 동태를 나름대로 파악하며 조합결성 가능성을 살펴 보고 있었다. 그리고 시간이 흘러 5월

이 되었다. 그동안 민수는 학과 개편관련하여 좀더 정확한 정보와 자료를 살피며 정리하고 있었다. 교육청을 통한 자료를 확보할수있는 것이 좋을듯하여 조합원 세명중 오래된 김선생께 협조를 요청했다. 대신 김선생에게는 앞으로 문제가 될 소지가 있다는 사실을 좀 더 구체적으로 알리고 김선생님이 가르치고 있는 교과목도 없어질 수 있다고 언질도 주었다. 일단은 본부에서 받은 정확한 자료를 받고 분석하고 관련법령도 살펴보고 교과 개편시법적으로 구제나 영향이 있는 교과목과 인원에대해 분석에 들어갔다.

기본인 자료분석이 끝나고 예결산 관련부분의 자료역시 3년치를 구하여 분석하여 책자로 만들어 두었다. 문제가 커질 경우 예결산의 문제점을 가지고 압박을 가하여 수용하고자 하는데 활용할수 있는 중요한 자료이기 때문이다. 예결산 분석은 전문적 회계능력이 있는 임선생님과 함께 3년치 분석과 연도별 항목별로 분석하고 집계하여 통계를 내어야 되기에 많은 시간을 소요했다.

그러는 동안 교사들의 불만 등을 수집하고 기록하여 시간과 장소 그리고 함께 있었던 사람들까지 기록해 두었다. 그리고 학교장과 교감등 관리자들에대한 출퇴근시간과 학교를 비우는 시간에 대해서도 적어두고 교직원 출근부와 비교하여 적어두었다.

또한 직원회의 시간에 교권 침해성 발언에 대해서도 적어두었다. 이어서 기본적인 자료로 대응하고 압박하며 관련법령 몇조 몇항의 해당내용에 대해서도 기록해 놓았다.

민수는 이처럼 철저히 하지 않으면 산전수전 겪은관리자들에게 쉽게 당하여 징계로 이어지는 경우도 종종 있기에 항상 유념해야 한다고 생각하고 있었다. 물론 아직 그 누구한테도 이야기는 하지 않았다.

아직 파악을못한 상태에서 잘못 이야기하면정보가 누출될 수 있기에 조심하였다. 아직은 기존 조합원에 대해서도 파악을 세밀히 하지 못한 상태로 두고 보고 있었다. 아마 처음 조합 결정 관련하여 상당히 적극적이었다면 일단은 신뢰도에서 근접도가 높겠지만 적극적인 반응을 보이지 않았던 상황이었고 관련 불이익이 있을수 있는 교과존폐에 대한이야기에 별다른 반응을 보이지 않는 것도 마음에 걸렸다. 좀더 확실하게 할 필요가 있다고 생각했다. 이전까지 조합에 가입했다고 하면 참된 교육을 실천하고자 하는 진정한 교사로 알아주기도 하였지만 극히 일부는 학교 측으로부터 배제를 당할 경우를 대비하여 사적이익이나 보험용으로 가입하는 경우도 있었다.

민수는 동료들에 대한 설득의 기본은 어떤 일에 참여 여부는 대부분 자신의 이익에 얼마나 부합하는지 여부에 달려있기에 장단점과 미참여시 받을 불리함 등으로세밀히 적어 나가면서 준비 하였다.

우선 학교민주화와 교권 그리고 학습권과 수업권, 참된교육 실천에 대한 의미를 알리고 이러한 실천과정이 자신들에게 얼마나 긍정적 영향을 주는지와 그렇지 않은 경우 일부 학교측으로 분류될 때 자신이 얻을 수 있는 이익은 극히 일부이고 자신의 그러한 이익을 얻을 수 있는 순서가 될 때까지는 그 시간을 예측할 수 없다는 부분과 교사의 본분의 중요성에 대한 부분을 적어 일대일로 소통하였다. 최종 동의서를 제출한 선생님들부터 노동조합 결성하여 체계적으로 대응 하고자 하였다. 하지만 조합 관련 하여서는 학교측에서 강한불만과 불쾌감을 가지고있어 사전에 이러한 조합결정 과정이 누설되면 바로징계위로 넘어갈 수 있기 때문에 조심해야 했다.

또한 학교 측에서 방해하려고 각종 조치를 할 수 있어 극비로 유인물을 전달 하였다. 우선 기본적으로 자료를 분석할 수 있는 사람들을 기준으로 하되 극비 사항에 대해 발설하지 않을 사람을 선택하였다.

극비사항을 우선순위로 잡고 이를 위한 선발를 하였다. 이 중에서 세 사람을 우선 협조를 구하고 극비사안임을 약속 받아 섭외하였다. 기본적인 업무를 분석하기 위해 교과 과정에 대해서는 임선생님을 배당했고 예결산은 민수와 임선생님이 함께 자료분석을 하고 교과배당 관련 교사 인원수 등은 최선생님을 분석할 수 있는 사람으로 선발하여 두었다.

그리고 전국노동조합 본부의 협조를 얻어 자료를 구할 수 있고 조언을 구할 수 있는 사람으로 김선생님을 배당했다. 최종 민수와 함께 중요사안을 결정할 핵심 창립 멤버 3인을 찾아 설득하는 일이 우선이었다.

이후에 자료 분석이 끝나면 교과 회의를 거쳐 관련 교과과정 과목과 시간 그리고 인원 등에 대해 분석 후 이를 통합하여 자료를 만들었다. 이 자료를 통해 종합적인 교과 과정의 문제를 도출하여 이를 시정하기 위해 개인적 접근보다 조직적인 노동조합을 결성하여 다수의 인원으로 다수결로 압박하는 대응을 할 수 있다. 이러한 과정을 마치면 수업이 오전중으로 끝나는 토요일에 큰교무실에 모여 전국교직원노동조합 분회창립대회를 하는것으로 잠정적으로 고려하고 있었다. 이러한 노동조합 창립 관련해서 극비사항으로 창립멤버 3인만 우선 알고 최종결정은 민수가 여러 경로를 통해 얻은 정보를 바탕으로 문자로 10분전에 장소와 시간을 연락하기로 하였다.

추후 변경사항에 대해서는 다시 추가로 논의하고자 하였다. 만약을 대비하여 1차 모임장소가 유출된 경우를 대비하여 2차 집결지까지 현장답사를 통해 정하였다.

집회신고는 해당 장소 2곳 모두 미리 사전신고를 하기로 하였다. 하지만 집회 신고시 경찰서의 정보과에서 나와 학교측에 본 내용을 알려줄 수 있어 밖에서는 조합결성을 할 수가 없었다.

만약 밖에서 하다가 이미 정보를 얻은 학교측에서 측근교사들을 동원하여 시비를 걸거나 몸싸움을 할 경우 자칫 폭행사태로 징계대상이 될 수 있기에 민수만이 내심 학내에서 할 생각을 하고 있었다.

이조차 정보가 유출시 방해를 받거나 문을 잠그는 경우 창립대회를 할 수가 없게 되어 난감한 사태로 될 수 있기에 극비로 민수만 가지고 있는 전략이었다. 경찰서의 보안과 형사들은 노동조합 창립관련해서 학교와 긴밀한 관계를 유지하고 있기 때문에 정보유출은 어쩔수 없는 상황이었다.

따라서 창립 장소를 외부로 잡아 그쪽으로 시선을 돌려 놓고 창립대회는 교내에서 하는 것이 성공할 확률이 더 높다고 민수는 보았다. 이는 일종의 군사적 전략방식으로 상대에게 일정 거짓 정보를 흘려주고 실행은 예상치 못한 곳에서 작전을 실행하는 전략적 방식이다.

어쨌든 학교 측의 관심을 다른곳으로 돌리기 위해 임의의 장소에 창립일 날 사전에 몇명 정도 가있도록 하였다. 창립 이후 학교 측의 징계관련하여 이에 대응하기 위한 조치로 예결산 과 다계상과 학습기자재 및 학습소모품과 학생관련 소모품에 대해 예결산으로 잡고 실제로는 학생들에게 구입하여 오라고 하는 경우가 종종 있어 그러한 정황이 예결산 분석과정에서 포착되어 별도로 기록하여 두었다.

또한 저렴한 기자재를 고가매입한 것으로 예산을 잡아두고 저가의 기자재를 구매하는 방식도 학교 행정실에서 주로 사용하는 수법이기도 하다. 또한 관리자자 개인 차량의 주유와 수리 등 비용을 개인적 비용처리를 하지 않고 예결산 교비로 대납하는 등과 교사들 출장갈 때 사용할 수 있는 법인 차량을 사적으로 관리자가 사용하고 교사는 사용 못하게 하는 경우도 이에 속한다.

문제가 발생시 이러한 정보자료를 교육청과 교육부에 진정하겠다고 하여 교사들에 대한 불이익을 최소화할 필요가 있다. 이러한 자료 등은 민수만이 자료수집을 하고 있어 항상 민수가 관리자와 면담을 통해 조합교사들의 문제를 다소 최소화 하고자 하였다.

그리고 학교장 출퇴근 시간과 출장 그리고 결근 등에 대한 자료 수집 출근부를 통해 확보하는 등 민수는 이러한 일을 하기 위해서는 자신의 남은 시간을 이용하여 지속적인 관찰을 해야 되어 민수만이 할 수 있는 일이라 자신이 하였다. 아울러 관리자의 업무추진비 등 과도한 책정과 사용처 등의 정보자료를 확보 해 두었다.

 이로써 이제 남은 조합창립에 실수 없이 개최하고 이후 문제는 다시 만나 논하기로 하였다. 혹시 모를 징계 관련해서는 앞서 말한 자료를 가지고 학교 측과 협상하여 무력화하고자 하였다. 또한 일반적 설문 형식으로 교권 침해를 받은 사실이 있는지와 학습교구에 대해 미지원을 하거나 통제 하여 아이들 수업에 문제가 될 수 있는 사안에 대해서도 적어 두도록 하여 민수에게 관련 자료를 주기로 하였다.

 만약을 대비하여 자료수집을 하는 것이기에 부담없이 관련 자료를 꼭 민수에게 알려 주도록 하였다.

이로서 기본적인 조합창립 과정을 어느 정도 마무리하였다. 모든 사안은 창립총회까지 극비로 하였다. 마지막 회의에서 창립총회 장소에 대한 이견이 나왔다.

 이러한 문제로 창립 멤버간 갈등이 일어났다. 일부는 학교내에서는 불가능하다고 보고 야외 공원에서 하자는 의견을 제시하였다. 반면 민수는 우리가 학원 민주화 투쟁 과정에서 모든 사안은 학내에서 일어나고 여기서 해결해야 하는데 첫단추부터 회피하여 야외에서 한다면 노동조합 창립의 의미가 없어지고 향후 학교측과 협상시 어려움을 겪을 수 있다는 의견을 개진하여 학내에서 진행하기로 민수가 강력하게 밀어 붙였다.

 민수는 일부로 교외에서 할 때 생길 수 있는 다양한 문제에 대해 별도의 언급을 하지 않았다. 만약 잘못하면 정보유출이 되어 교내에서 못할 수 있기에 언급을 자제하였다. 일부 교사들은 불만을 토로하였지만 아주 중대한 문제이기에 오해나 불만 또는 불평에 대해 대응하지 않고 기밀을 유지하는 것이 더 중요하다고 보았기 때문이다.

이 일은 노동조합 창립중 가장 중요한 안건으로 실패시돌이킬 수 없는 처벌과 징계 등으로 이후 더욱 조합활동이 어려워 질 수 있기에 중요 안건으로 다뤘다. 하지만 민수를 제외한 모두는 중요성에 대해 인지를 못 하는 듯하였다.

대신 조합의 분회장 역할에 더신경을 쓰는 것 같았다. 사실 분회장은 큰 역할보다 문제와 갈등이 생길 때 이를 전략적으로 조정하고 타협하여 문제를 최소화하는 역할을 할 사람으로 개인적 의견 결정권은 없으나 조합총회에서 또는집행부내의 결정에 대해 학교 측에 전달하는 역할을 할 사람이 필요했다. 하지만 자칫 학교측에 포섭될 경우 조합은 해산되어야 할 수도 있어 신중한 사람이 필요하였다.

성품이 유연하지만 강단이 있는 사람이 적합하지만 현재로서는 형식적이지만 민수의 조합운영에 도움과 협조를 할 수 있는 사람이 필요하였다.

자칫 학교측과 면담시 개인적 의견을 말하면 학교 측은 다양한경로로 개인적 이익을 주어 학교 측 제안을 수용하게 할 우려가 있고 이를 거절할만한 성품이 못되는 경우 분회는 심각한 위기상황에 빠질 수 있기 때문이다.

분회장이 만약 학교측으로 넘어가 사적이익의 미끼에 걸려들어 가면 조합의 모든 정보와 자료는 자연스럽게 학교측에 넘어

가게 되어 조합을 운영할수 없게될 수도 있는 사례를 종종 봐기 때문에 합리적 의심을 하면서 항상 지켜봐야 한다는 생각을 민수는 하고 있다.

따라서 분회장의 결정권한을 개인적 권한과 분리시켜야 되는 이유이기도하다. 분회장을 선호하는 교사는 자신의 입김을 조합을 통해 강화하려는 성향인 사람은 강한 불만을 내비추기도 하였지만 어쩔수 없는결정이었다.

민수는 관리자와 협상에서도 강성발언과 의도된 행동으로 관리자조차 부담스러워하게 하려는 의도된 행동임을 아는 조합원은 거의 없다고 본았다. 오히려 관리자에게 그러면 안된다는 논리를 가지고 불편해 하는 사람도 있지만 그 조차 감수해야 되는 행동이기에 좀더 많은 생각을 하는 사람이라면 민수가 왜 그러는 지 알 수도 있는 행동이지만 단순한 생각만 가지고 보면 그러한 말을 할 수 있기도 한다.

조합분회 창립일은 11월 1일 1시로 잠정 결정하여 두고 상황에 맞게 조율하기로 일부 핵심 일을 하는 사람만 극비로 알고 있도록 하였다. 이는 자칫 오해의 소지가 있겠지만 그 조차도 감수해야 되는 일이기에 그러한 오해를 하는 사람에 대해 별도의 대응은 하지 않기로 하였다.

학교측 관련인물들에 대해 개별적으로 담당조를 통해 작전 직전까지 동선을 파악하여 문자 전달을 부탁했다. 특히 관리자의 동선과 학교측 교사들에 대한 동선도 함께 정보수집을 하여 동선을 사전에 민수가 알 수 있도록 하였다,

조합원 들에게는 항상 휴대전화를 켜놓고 대기할 것을 전달하였다. 민수와 창립 핵심 멤버는 창립 1주 전부터 사전 준비 사항을 다시금 철저히 체크 하며 하나씩 준비해 나갔다.

우선 핸드마이크, 분회창립깃발, 본부노동조합깃발, 태극기, 창립회원조끼, 머리띠, 그리고 창립 시 부를 '참교육의 함성'과 마무리에 부를 민중가요인 '임을 위한 행진곡' 등 민중가요 등에 대해 테이프로 녹음하여 놓도록 하였다.

민중가요 가사는 큰 종이에 창립 가요 가사와 제반 민중가요의 가사를 적어 높이 들고 볼 수 있도록 민수가 직접 준비 하였다. 당시에 조합원들은 조합창립가인 참교육의 함성과 임을 위한 행진곡을 전혀 모르고 있었기에 가사를 볼 수 있도록 할 필요가 있었다.

11월 첫주 토요일 수업 마치고 종례하고 1시 퇴근에 맞춰 12시 50분에 전체 분회원들에게 문자로 종례 후 바로 큰 교무실로 모여달라는 메시지를 보냈다.

'둘리의 여행'의 암호문으로 전달했다. 소문으로는 일부 정보가 유출 되어 우리측에서 2안으로 지정한 야외장소에 학교측 사람들이 나와 있다고 문자가 왔다.

또한 학교내 사복 정보과 형사들이 조합창립 관련하여 정보를 수집하기 위해 수시로 학내를 돌아다녔다. 문자를 보낸 후 선생님들이 하나둘 모여들었다.

조금 있다고 필요한 비품도 옮겨 졌다. 교무실 안에서 문을 잠그고 밖에서 학교측 사람들이 들어와 방해할 수 없도록 인원을 배정하였다. 1시가 되자 서로의 신호에 마쳐 조끼를 착용하고 창립총회와 분회창립 낭독문을 일사천리로 낭독하고 바로 전국 교직원노동조합 창립가요'참교육의 함성으로'를 힘차게 팔뚝을 높이 흔들며 불렀다. .

1. 굴종의 삶을 떨쳐 한 교육의 벽 부수고/침묵의 교단을 딛고 서 참교육 외치니/굴종의 삶을 떨쳐 희망의 산을 옮기고/너와 나의 눈물 뜻 모아 진실을 외친다/보이는가 강물 참교육 빛나 듯/들리는가 함성 벅찬 가슴 솟구치는/아 우리의 희망 교직원 노조 세워/민족민주 인간화 교육 만만세

2. 굴종의 삶을 떨쳐 한 교육의 벽 부수고/침묵의 교단을 딛고 서 참교육 외치니/굴종의 삶을 떨쳐 반역의 어둠 사르고/이제 교육동지 굳세게 단결 전진한다/함께 가세 이 길 아이들의 넋 이 춤추는/함께 가세 이 길 사람사는 통일 세상/우리의 희망 교직원 노조 세워/민족민주 인간화 교육 만만세. 마지막 과정으로 '임을 위한 행진곡'을 불렀다. 이 역시도 가사를 보도록 하였다.

사랑도명예도이름도남김없이/한평생나가자던/뜨거운 맹세/동지는 간데 없고/깃발만 나부껴/새 날이 올 때까지 흔들리지 말자/세월은 흘러가도/산천은 안다/깨어나서 외치는 뜨거운 함성/앞서서나가니 산자여따르라/앞서서나가니산자여따르라/

마침내 전국교직원노동조합분회창립은 기습적으로 교무실 관리자가 있는 앞에서 성공적으로 창립식이 마무리 되었다. 걸린 시간은 7분 10초 이후 교문밖까지 가두행진을 시도하여 최종 마무리를 성공적으로 마쳤다. '둘리의 여행'인 '전격제로작전'이

성공리에 마무리 되었다. 이로서 분회창립이 비로서 정상적인 단체로 인정받는 계기가 되었다. 처음 팔뚝 흔들기에 서툴렀지만 잘 해내어 서로가 눈물을 흘렸다. 이 광경을 그저 눈앞에서 벌어지고 있는 상황을 보고 있던 관리자는 참담한 심경을 느꼈을 것이라 생각된다.

관리자는 바로 야외 학교측 교사들에게 전화하여 빨리 교무실로 들어오라고 하였으나 이미 노동조합 분회 창립은 끝난 상태였다. 교무실의 기습 창립은 학교측 허를 찌르는 전략으로 설마 관리자가 있는 교무실에서 보는데서 어떻게 할 수 있겠는가에 대한 생각을 역으로 이용한 심리적인 전술전략의 성공이 었다고 할 수 있다.

민수는분회조합원들 에 대한 정신교육과 관련 법령 을 민수가 맡아 조합의식의 진정성에 대해 자부심을 느끼고 당당하게 아이들과 관리자들을 대할수 있게하였다.

이외에도 교권침해와 학생수업권 그리고 학교행정의효율적방안, 교육기자재 적극적 재정지원 등에 대해 민수는 관련 예결산위원과 인사위원을 하면서 그간 형식적인 회의를 실질적인 회의로 변화 시키는 계기가 되었다.

이후 민수는 관련 위원으로 활동하면서 학교재정에 대한 실질적 지원과 과대계상된 예산액을 삭감하고 실질적으로 필요한 항목에 사용하도록 하였다. 이는 관련 법령에 따라 시행한것이기에 이의를 할 수가 없었다.

또한 인사위로서 형식적인 인사위가 아닌 상벌관계에 있어 수치화시켜 관리자가 임의로 특정인을 선정할 수 없게 민주적 인사위규정을 만들어 그대로 시행하게 하였으며 민수에게도 임의로 교육감상을 주겠다고 하였으나 아직 인사위도 없는 상황에서 받을 수 없다고 하고 인사위를 만들고 규정을 만들어 주면 받겠다고 거절하였다.

불행히도 민수가 거절한 상을 같은 분회원이 자격이 없음에도 이를 받아 수령하여 민수의 그 사람에 대한 안타까움을 가지도록 하였다. 이러한 사적 이익에 정당하지 못한 이익을 거절할 수 있어야 참교육을 한다고 할 수 있지만 이제 만들어진 조합원에게 이러한 기대를 하는 것은 먼 나라 이야기임을 새삼 느꼈다.

이후 민수에 대해 징계와 관련된 정보가 들어왔다. 민수는 이러한 학교측에서 문제삼을 수 있는 언행과 수업시간을 충실히 하는 등 다각도로 조심하였다. 민수가 그나마 지금까지 버틸 수 있었던건 이러한 원칙론에 입각하여 학교측에서 문제삼을 여지가 없게 만드는 것이었다,

이러한 뜻을 모르는 사람들은 아무생각없이 보면 융통성이 없는 사람으로 단순하게 생각할 수도 있다고 보았다. 하지만 그 사람에게 민수가 관리자를 상대하려면 하자가 없는 행동을 하여야 면담시 당당하고 대등하게 문제해결을 할 수 있다고 한들 이해가 되지 않을 것으로 보고 별도의 대답은 하지 않고 대응하지는 안했다.

자기관리를 철저히 하고 기본적인 수업을 충실하였기 때문이다. 또한 교실을 개방하는 수업 방식을 도입하였으며, 신문과 매스컴 그리고 국제정세 등에 대한자료를통하여 이에 대한 원

인과 문제 그리고 해결방안 등 을 조별 토론을 통해 논리적 사고와 합의 과정을 익히도록 논술수업을 진행하였다.

이러한 수업방식이 아이들에게 추후 회사에 가서 회의를 진행하거나 논리적 사고를 가지고 문제를 해결할 수 있는 능력을 함양시키는 방식이기에 민수의 수업은 항상 토론식 수업을 하곤하였다.

주변에서는 이러한 민수를 보고 못마땅해 하는 교사도 있고 '융통성이 없다'거나, '모난돌이 먼저 정을 맞는다'등의 아픈말로 민수의 학교 민주화와 참된교육의 실천 활동을 깎아내리거나 비난하였지만, 초심으로 삼은 올곧은 신념을 바탕으로 학교 민주화와 참된 교육실천을 하기로한 자신과 고3 담임선생님과의 약속을 정년까지 지키겠다는 신념을 그대로 지키고 가려는 마음을 더욱 공고히 하는 계기가 되었다.

제 10장 그리고 봄

민수는 언행을 항상 조심하는 가운데 민수에게 사건이 발생하였다. 민수의 국어 수업 시간에 학습단원 항목인 선진국과 후진국, 개도국 관련 개념과 역할에 대한 발표 주제에서 다국적 기업 또는 선진국이 군사, 경제 등을 통한 개도국의 지원 관련하여 개도국이 겪는 아픔에 대한 논제를 중심으로 토론 조별 토론을 하였다.

학교 측에서는 수업과 관련하여 아이들에게 사상교육을 하였다는 이유로 경찰에 고발되었다. 학교 징계위에서는 경찰 고발된 상태에서 아이들에게 수업을 맡길 수 없다며 민수에게 징계로 해직을 통보하였다. 수업 중이었던 수업권에 있어 교사에게 독립적 권한이 있지만 학교측에서 사전 민수의 일거수일투족을 보고하는 라인이 있다는 소문은 사실로 드러난 셈이다.

민수는 이에 따라 경찰서 정보과에조사를 받고 무혐의로 나오게 되었지만, 징계는 좀처럼 풀리지 않았다. 수업 과정을 가지고 문제 삼는 그것은 분명 ′교육기본법 제12조′의 교사의 수업권침해라고하였으나 징계위에서받아들이지 않았다. 징계위에서 문제삼는 이념교육에 대한 개념까지 재정립해서 해직을 시키려는 교육기관을 보면서 현명한 아이들로 교육시켜야 하는 교육기관에서 스스로 어리석은 질문을 하여 자신들이 질문을 정당화하여 징계하려는 것은 안타까움을 더해 깊은 우려를 가지지 않을수 없었다.

하지만 학교민주화활동의동료들과함께 3년간 법적 다툼에서 승소하여 다시금 교직에 복직하였다. 교사가 교사로서 대접받고 학생 앞에 당당히 설 수 있으려면 스스로 부조리와 잘못된 관행에서 과감하게 벗어날 수 있는 용기가 필요하며 개인적이익을 구하지않아야 한다고 하였다.

민수의 몸과 마음은 아주 피폐하고 힘들었지만, 한편으로 아이들을 생각하면 초심을 잃지 않고 살아온 지난 시간 있기 때문이라고 생각하였다. 젊은 날 지성인으로 힘들고 험한 학교 민주화활동을 후회 없이 할 수 있도록 해준 동기가 고3 담임선생님이었다. 민수는 시간이 흐른 지금 삶의 뒤안길에서 당시의 젊은 날의 고뇌와 고통을 기쁜 날로 기억할 수 있어 행복하다고 민수는 생각했다.

지금은 가끔 수혜의 소식을, 지인들을 통해 듣고 있었다. 수혜는 학교에서 교감을 거쳐 교장인 학교행정가로서 퇴임준비를 하고 있다고 하였다. 수혜와 민수는 퇴임 날짜가 같은 동갑이라 같은 해 전반기와 후반기로 각기 다른 날이었다. 수혜가 민수보다 생일이 빨라 8월 퇴임식을 하였고 이제 민수는 9월이후라 다음해 한 겨울인 2월 퇴임식이다.

민수는 이제 자신의 나이에 얼굴에 책임을 질 수 있는 삶을 그간 살아 왔는지 그 대답을 스스로 거울을 보며답을구하고자 하였다. 초임시절에서 약속한 참된 교육활동을 퇴임까지 변하지 않고 왔는지 자신을 되돌아 보았다. 다행히 몸과 마음은 만신창이가 되어 힘든 일상의 삶을 살고 있지만 마음만은 그래도 자신과 선생님과의 참교육에 대한 약속을 지킬 수 있어 행복한 퇴임이라고 스스로 칭찬을 하여 주었다. 그리고 돌아가신 고3 담임선생님에게 고맙다는 말을 마음속으로 하였다.

 인간관계에서 소통의 기본은 서로 다름을 인정한다는 것의 여행을 통해 얻은 중요한 것이었다고 생각하였다. 하지만 일방적 소통은 오래갈 수 없는 관계로 서로에 대한 신뢰와 상대에 대한 배려에서 비롯된다고 보았다.

 민수는 지난 세월을 회상하며 부족한면은 있었지만 그래도 소통하고자 하는 노력은 다했다고 자평하였다. 세상에 대해 잘 처신하고 잘 사는 법은 있지만 그것이 곧 올바르게 세상을 잘 사는 것은 분명 아님을 확인하는 시간이었다. 또한세상을 살때 처세술이 좋아 승승장구하겠지만 그것을 우리 아이들에게 그렇듯 살라고 할 수 있는 바른길은 아니라고 생각했다.

또한 정치적 성향을 가지고 아군과 적군 모두에 인정받고 적과의 동거를 하는 것이 능력있어 보이는지는 몰라도 그것이 우리 아이들에게 올곧은 현명한삶의 방법은 아님이라는것을잘 알고 있다. 비록, 우직하지만 자기이익만을 위해 살지 않고 공동의 이익도 함께 구할 수 있는 삶을 위해 살며, 정치적인 처세술로 자신의 이익만 추구 하지 않고 민주적 시스템을 통한 참교육 실천을 하는 것이 중요하다고 생각하였다. 따라서 학교가 아이들뿐 아니라 교육주체 모두가 즐겁고 기뻐해야 한다는 것이 민수의 오랜 경험에서 나온 결론이다.

학교 민주화와 참교육의 실천에 대한 민수의 활동에 대해 학교측 교사들의 비난하고 협박 등으로 학교측과 자신의 이익을 대변하여 얻은 것이 얼마나 클줄 모르지만 결국 그 역시 물리적인 시간으로 한시적인 이익일 뿐 오래 갈 수 없는 구조적인 문제가 있다는 사실을 스스로 깨닫기를 바랄 뿐 이다.

민수는 당시의 젊은날은 정의로운 지성인으로 불의에 대해 감히 할수 없던일을 할 수있게 한 젊은날의 시절이었기에 오늘날에 기쁜날로 기억할 수있게 되어 함께한 교육동료인 수혜와시아에 대해 고맙다는 생각을 하여 보았다.

이때 누군가 민수에게 하는 말에 다시금 정신을 가다듬었다. "민수선생님!, 축하해요! 소원이뤘네요!"수혜가 웃으며 축하한다는 말을 했다. 교직 초임시절 수혜에게 퇴임식에 책 한 권 내고 싶은데 '교단일기'처럼 말한 기억이 떠올랐다. '선생님 출판사에서 베스트셀러'나오는 것 아니에요?' 시아가 이어서 축하해 주었다.

'자!, 이제, 다오셨으니 사진좀 찍읍시다!'라며 민수는 사진찍기를 재촉 했다. 오늘은 교단을 떠나는 퇴임자로 어린 시절 국민학교때부터 오늘의 퇴임 날까지 어언 50여년의 세월이 흘러 당시의 일들이 오래된 사진처럼 끊어지고 빛바랜 흑백 필름처럼 또한 한순간의 영화처럼 이렇듯 지나가고 있었다. 민수는 수혜 말에 정신을 차리고 각자의 근황에 관해 이야기를 해보자고 하였다.

수혜는 결혼하여1남1녀의 자녀를 두고 장성한 자녀가 있어 얼마 있으면 결혼시킬 것이라고 하였다. 시아는 야학 동료와 결혼하였으나 자녀는 서로 합의하여 갖지 않기로 하였다고 하였다. "선생님은 결혼 안하세요?"라며 시아가 말했다"

"글쎄! 아직은 혼자가 편해서…"라며 말끝을 흐렸다. 아직 민수는 퇴임날까지 결혼은 하지않고 있어 주변의 아쉬움과 걱정을 안겨 주었다. 비록 퇴임식에서 함께활동을 하였던 동료교사들로부터 수고했다는 말 한마디는 못 들었지만, 자신 몸과 마음에 대해 진심 어린 고마운 말로 고별사로 대신했다.

제 11장 길을 묻다

"시간도 조금 여유있으니 TV뉴스 보면서 차한잔 합시 다!"라며 민수는 차한잔씩 돌리면서 말했다. 요즈음 뉴스는 우크라이나전쟁관련 내용을 중요뉴스로 보도하여주었다. 민수는 우크라이나 전쟁 관련 내용을 걱정스럽게 보고 있다고하였다. 마치 우리나라의 미래의 모습을보는 것 같다며 깊은 우려를 갖게 된다고 하였다. 한반도 통일정책은 매번 진보와 보수정권에 따라 수 없이 바뀌어 신뢰감을 갖고 있지 못하다고 하였다.

한반도의 평화는 동북아 지역뿐 아니라 국제적 우려로 보고 있다고 하였다. 남북 대치 상태에서 보수정권의 통일정책은 미국에 치중되어 있고 진보정권은 여기서 탈피하고 스스로 우리가 결정할수 있는 정책의 시스템을 추구하고 있다. 보수든 진보든 모두국민과 국가를 위한 정책이지만 한반도의 주된 결정권만은 우리 스스로 결정할 수 있는 시스템을 갖추는 것은 중요하다고 본다.

하지만 이러한 시스템 정책이 우려스럽다고 한다. 우크라이나 전쟁에서 보듯이 안보를 지켜 주겠다는 조약의 당사자인 러시아는 오히려 현재까지 침략을 하고있고 핵우산을 강조하며 핵포기를 요구한 미국은 자국의 불안전한 정치지적, 경제적, 사회변화에 따라 적극적으로 대응을 못하고 있다.

주변국의 지원 역시 발등의 불로인하여 점차 시간이 갈수로 지원이 저조해 지고 있다는 사실은 우려스럽다고 본다. 우리나라의 현 정권의 통일정책과 남북간의 전략에 대해 우려와 걱정을 국민은 하고있다. 강대국은 자국이익에 대해 절대손해 보는 장사를 하지 않기 때문에 강국이 될 수 있었다.

현재 우리의 정치상황은 지나치게 미국 의존도가 너무높아 국민들이 많이 걱정하고 있다. 안보 문제만 나오면 미국을 비롯한 강대국이 지켜줄 것이라고 확신에 찬목소리로말한다. 하지만 그것은 집권한 강대국 마음이기 때문에 맞는소리는아니라고본다.

그리고 미국의 비싼전략자산이 한반도에 자주 오기로 하였다고 한다. 물런 비용 지급에서 우리가 감당 해야하는 비용이 문제되지 않는다면 다행이다. 하지만 추가 비용이 감당하기에 힘들다면 이에 대한 대응책이 있어야 한다.

이러면 난감해 진다. 전작권도 우리나라 군부측에서 현재 그럴 능력이 없다고 스스로가 부족함을 자랑스럽게 말한다. 안타까운 일이 아닐수 없다. 부족하면 국민에게 미안해 하고 더욱 더 열심히 배워 스스로 국가 안보에 역략을 강화 해야 하는데 능력이 안 된다고 하면서도 공부도 안한다.

그저 미국에게 우리나라 국민의 안전과 우리국토의안위를 맡기자고 하고만 있다. 그것이 현 정권의 한반도 정책이고 우리나라 안위의 전략인 것이다.

보여주기식 무기자산을 5년동안 임대한 무기를 들어오면서 엄청난 임대료를 지불해야 하는데 결국 국민세금으로 충당해야 한다. 그러면 어디에서 국가재원에 대해 증감 할것인지 대안을 간구해야한다. 설사 가감산을 못하는사람도 풍선효과는 안다 .

한쪽을 누르면 다른쪽으로 공기가가면서 부풀어진다. 결국 고정된 세수에 한쪽이 많거나 적어지면 상대적으로 다른 쪽의 돈이 부족하 거나 남을 수 있다. 따라서 국가는 세수를 잘 관리하고 국민의 복지를 국가에서 일방적으로 강요하여 줄여서는 안 된다고 생각한다.

오늘날 우크라이나와 러시아간의 전쟁이 2024년에 12월 현재까지 우크라이나가 러시아에 의해 침탈된 지가 어언 4년이 거의 다 되어 가고있다. 여러 국가가 우크라이나에 다양한 방식으로 지원하 고 있다. 하지만 현재는 미국의 지원을 받고 있지만 대신 핵우산을 통한 핵포기를 전제로 하였다.

그러나 미국선거에서 누가 대통령에 당선되는가에 따라 우크라이나는 자국의 어린이와 여성들 그리고 젊은이들의 운명이 결정되게 되었다. 미국 선거 결과에 따라 지속적인 지원 여부가 결정되는 심각한 상황에 와 있다.

우크라이나는 1991년 옛 소련으로부터 독립한 직후 핵탄두 약 1,700발과 ICBM 170기이상을 보유한 세계3위의 핵보유국이었다. 그러나 핵보유국인 미국, 영국과 러시아가 1994년 "부다페스트각서"를 채택하면서 우크라이나의 독립과 영토보전을 약속하고 핵우산 전제로 핵무기를 포기했다.

핵미사일과 시설은 미국주도로폐기되고 핵폭탄에들어있던 핵물질은 러시아로보내졌다. 결국은 자국민과 국토 그리고 국민의 안전은 강대국 또는 선진국의 말이나 협약 및 조약 따위로 결코 지킬 수 없다는 사실은 우크라이나전쟁에서 여실히 보여주고 있다.

이처럼 전쟁이 발발 시에 국민의 안위와 안전은 정부각료가 책임질수 있는 것은 사실 아무것도없다는 사실이다. 우리국민은 반드시 이러한 선례를 살펴 보고 경각심과 젊은 지성인처럼 본분을다해야 할것으로보인다.

민수는 오늘날에서 다시 한번 한반도 평화와 국민의 안전과 안위를 외세에 맡겨서는 안 된다는 확신을 가지게 되었다. 1994년, 부다페스트 각서가 채택되면서 우크라이나는 자신의 독립과 영토를 지키기 위해 핵 무기를 포기했다. 미국, 영국, 러시아는 그들의 안전을 약속했다. 이 모든 것은 미래의 평화와 안정을 위한 약속으로 여겨졌다. 그러나 역사는 언제나 예측 불허의 상황을 가져온다. 우크라이나는 지금 전쟁의속에서 자기국민과 땅을 지키려고 싸우고 있다.

강대국의 약속과 조약이 전쟁의 현실 앞에서 얼마나 무력한지를 우크라이나는 비싼 경험을 하고 있다. 우크라이나 정치인들은 당시의 판단이 자국이 안전을 지키기 위해 약속과 협약을 믿었던 순진한 관료와 정치인 이었는지는 알 수가 없다. 분명한 것은 지금 그들은 자신의땅에서일어나는 전쟁의참상과 비극을 목격하면서, 자국민의 살육과 부녀자들에 대한 성폭행 등이 자행되고 있는 상황을 볼 때 강대국의 약속이 얼마나 부실하고 무력한것인지를 깨닫게 될 것으로 보인다.

그 책임을 그들은 누구에게 전가시키든 자국민의 안전과 국가의 안위는 이미 어려운 상황을 맞고 있다. 강대국과 약소국, 선진구과 후진국 경제대국과 개발도상국 등 관계에서 이루어 지는 협약, 조약, 대선 정책등은 휴지 한 장에 불과하다고 볼 수 있다.

우리 국민에게 자국을 보위하고 국민의 안전을 지킬 수 있는 것들은 관료나 정치인들이 아닌 국민들이 이겨 나갈 몫일 뿐이다. 냉철한 이성을 가진 지성인 우리국민은 이러한 선례를 통해 우리 스스로 정권과 정치권을 감시하고 신뢰를 걸을지 신뢰를 줄지에 대해 심도 있는 판단과 경각심을가져야한다.

일단 전쟁이 나서 자국내에 폭탄이 떨어지면 피해는 용산의 대통령궁은 안전하겠지만 국민의 안전은 불행하게도 지킬수 없는 상황이다. 대통령도 국무총리도 국방부장관도 참모총장도 그들이 있는 곳은 벙커가 있어 핵폭탄이 떨어져도 무사하고 안전하겠지만 우리 힘없는 국민의 안위는 누가 그들만큼 안전하게 지켜줄지 되묻고 싶다.

힘없는 우리 아이들과 여성 그리고 젊은 지성인들이 전장의 죽음과 삶을 겪으며 힘들어 할 수 있다는 사실을 우리국민들은 깊은 우려와 냉철한 현실적인 인식을 해야 될 것 같다.

작가는 현재의 우리나라의 한반도와 남북간의 통일정책과 유사시 어떤 대비를 하고 전쟁시 얼마정도 지속될 것인지 답변이 필요하다. 그리고 전쟁의 가장 큰피해인 어린이와 여성 그리고 노인 등에 대한 대책은 무엇인지 이에 답을 해야 할 것이다.

현명하고 냉철하며 합리적 이성을 가진 국민에게 좌우를 떠나 우리의안보를지킬수있는길을묻고자한다!,

"여러분 생각은 어떠하십니까?" 요즈음 뉴스에는 우크라이나에 폭탄이 떨어져 없다고한다. 그저 바라 볼 수 밖에 없는 상황이다. 미국은 유럽은 영국은 러시아는모두 무엇을 하고있는지 정부에게 그원인을 묻고 싶다고하였다.

그런데도 만약 국제사회가 자신들조차 국가적 안위와 국민이 보호에 제한적인 상황에서는자국 우선순위로 인하여 타국에 대한 지원을 더 이상 살 수 없다는 현실적 문제에 직면하게 된다는 사실을 분명히 알아야 한다. 결국은 국제적 제재는 제한 적이고 영구적이 아니므로 자국의 보위와 국민의 안위를 위해 철저한 독자적 방어책을 마련해야 할 것으로 보인다. 우크라이나와 러시아간의 전쟁의 교훈측면에서 살펴보면 평화의 역동성 강화를 통해 협상이 어렵고 시간이 걸리더라도, 전쟁보다는 낫다는 인식을 강화해야 한다.

전쟁은 승자와 패자를 넘어서 자국의 국민이 희생되고 이로 인해 가족이 해체되며, 사회적, 경제적 파괴를 가져올 수밖에 없다. 국제사회는 국가 간 갈등 해결을 위해 협력해야 하겠지만, 이는 안보동맹 강화나 군사력 증강에만 의존해서는 결코 안된다는 사실이 전제되어야 한다. 외교와 방위의 준비를 통하여 명확한 외교원칙과 방위능력 없이 평화만을 호소하는 것은 국가의 안위를 위태롭게 할수 있으며 있다.

결국은 핵우산은 강대국이 자신들을 공격하지 못하게 하는 조치로 책임진다고 하였지만 책임진다는 러시아는 오히려 우크라이나를 공격을 하고 있다.

만약 우크라이나 전쟁에서 우크라이나가 핵 포기를 하지 않았다면 전쟁의 결과에 대한 가정은 매우 복잡한 문제가 될 수 있다. 전문가들은 우크라이나가 핵무기를 보유하고 있었다면 러시아가 크림반도를 침탈하기에 어려웠을 것으로 추측한다. 핵무기는'공포의 균형'을 이루어 재래식 무기의 열세를 극복 할 수 있는 비대칭전력으로 사용할 수 있다. 우크라이나의 핵무기 포기 결정은 부다페스트 협정에 따라 이루어졌으며, 우크라이나는 이 협정을 통해 자국의 안보과 국민의 안전을 보장을 약속받았으나, 그러나 2014년 러시아의 크림반도 침공으로 이 약속은 효력을 잃었다, 이는 국제사회에서 핵무기 포기가 나라의 이익에 부합하는지에 대한 의문을 제기하게 했다. 강대국의 핵우산 전략은 비핵보유국이 핵보유국의 방위 전력에 의존하여 자국의 안보를 확보하는 전략을 말한다. 핵우산의 장점으로는 안보강화를 통해 핵우산은 비핵보유국에 대한 핵공격의 위협을 억제하고, 동맹국의안보를 강화하는 역할을 한다.

그러나 핵 비보유의 단점으로는 강대국에 대한 의존성으로 비핵보유국은 핵보유국의 정책변화나 동맹관계의 변동에 따라 안보가 위협받을 수 있으며 정치적 복잡성에 의해 핵우산을 둘러싼 국제정치적 협상과 약속이 잘 지켜질수있는지에 대해 복잡하며, 때로는 불확실성을 초래할 수 있다.

그리고 전략적 제약에서 살펴보면 핵우산 하에 있는 국가는 자국의 안보정책을 독립적으로 결정하는데제약을받을 수 있다. 핵우산은 자칫 자국의 안보와 국민의 안위를 제3국에 전가하는 상당히 위험한 전략일수도있다.

각 국가는 최우선 과제로 자국의 안위와 국민의 안전이며 이를 지키기 위해 제반협약과 협정 그리고 긴밀한관계를유지한다.

그렇지만 여기서 협력과 협조 그리고 자국의 존폐관련 선택권을 스스로가 결정할 수 없다면 결국 불행을 초래한다는 사실은 그 어떤 전제조건보다 우선시 한다는 것이다.

특히 우리나라처럼 남북이 대치되고 있고 집권 정권의 성향에 따라 남북통일 정책이 대선과정에서 바뀌어 정책에 대한 신뢰가 부실할 수 있기에 이에 대한 이성적이고 정권창출의 통일정책을 떠나 장기적인 통일정책이 필요하다고 볼 수 있다.

하지만 선거철만 되면 정권 창출에 유리한 고지를 얻기 위하여 이념전략을 활용 하지만 좌우를 떠나 국민적 높은 합리적 이성으로 신뢰와 믿음에 대한 지지를 줄것인지 아니면 거두어 들여 각 정당의 지지율을 국민들이 선택해야 할 것이다.

결국은 립싱크와 무책임한 발언과 정책으로 국민의 뜻을 저버린 정권에 대해서는 현명한 우리 국민들에게 달려 있다고 볼 수 있다. 이러한 고질적 병폐에 대해 국민들의 높은 이성적 판단으로 단호하게 대처할 필요가 있다. 이러한 냉철한 이성을 가진 국민들이 많을수록 쿠데타나 전쟁이 일어날 가능성이 그렇지 않는 경우의 수보다 적다고 볼 수 있다. .

즉, 핵우산이란 핵무기의 보복력에 근거하여 적의 핵공격을 막을 수 있다는 의미에서 곧 핵에 대한 방패라는의미이다. 비핵보유국가가 핵보유국가에 의존하여 국가의 안전보장을 도모하는 것을 비를 피해 우산에들어가는 것에 빗대어 핵우산에 들어간다고 표현한다.

서독을 포함 한유럽의 북대서양조약기구(NAT O)동맹국들과 아시아에서는 한국·일본·호주가 핵우산의 구체적인 보호 대상으로 명시되어 왔다.

전쟁 억지의 목표는 적대국의 재래식 공격과 핵 공격 모두를 포괄한다. 억지의 수단에는 미국이 보유한 재래식 무기뿐만 아니라 핵무기도 포함된다. 우리 사회에서 자체 핵무장을 둘러싼 논란이 커지는 상황에서 북한의 핵 위협을 억지할 수 있는 건설적인 대안을 마련하는 것이 필요하게 되었다.

3대 핵우산 전략자산으로 사용되는 자산으로는 전략폭격기 발사순항미사일(ALCM)과, 잠수함발사 '탄도미사일(SLBM) 그리고, 대륙간 탄도미사일(ICBM)이 있다.

북한은 이러한 탄도 미사일 발사시험을 지속해서 하고있어 국제적 우려를 나타내고 있다. 하지만 이러한 공격만이 능사는 아니며 전쟁이 나면 결국 해당국은 초토화되어 삶과 경제자체가 피폐해질 수밖에 없기에 한반도에서는 전략자산이 아무리 많아도 전쟁 당사자간 국민들의 삶은 힘들어 질 수밖에 없게된다.

우리나라 역시 집권정권에게 국민의 안위를 모두 정치권과 집권정권의 성향에 맡겨서는 안 되며 전쟁 유발 사태는 어떤 경우든 막아야 하고 정권이 강제할시에는 국민의저항에 부딪힐수 있다는

두려움을 집권정권이 가질 수 있도록 그 집단에 대한 신뢰를 거두어 들여야 한다라고 말했다. 자국 내에서 모든 성향에서 각기 장단점이 있으며 상대 집단을 공격하는 것은 바람직하지 않다. 민수는 과거 군복무로 진압군, 대학시절에는 시민군, 교단 생활에서는 참교육 실천자의 교직자로서 동시대 사람에게 전할 수있어 다행으로 생각한다.

에필로그

작가는 주인공 민수와 수혜 그리고 시아의 70세대의 시각을 통하여 암울했던 당시의 그해 겨울 그리고 봄에 대한 우리 지성인들의 목숨건 저항에 대해 자랑스런 모습을 보여주고자 하

였다. 이를 통해 미래의 희망을 갖고 함께 할 수 있는 긍정적 에너지를 보여주고자 하였다. 또한 촛불시위를 유발한 이명박 정부의 광우병관련 미국산 쇠고기 수입 저지 시위와 박근혜 정부의 탄핵관련 원인과 배경 그리고 훗날 이들이 국민을 대하는 측면을 작가의 시각으로 적어 보았다.

험난한 시대를 살아온 그들이 당시의 힘들었던 일들을 통해 젊은 지성인으로 본분을 다하는 노력을 높이 평가하며 감사함을 담고 있다. 그들의 희망과 용기에 대해 작가는 주인공 민수와 그의 친구이자 교육동지인 수혜 그리고 민수를 곁에서 묵묵히 지지하고 지켜보면서 도와주고 있는 야학제자이자 교육동지인 시아인 세 사람이 우리의 모범적인 인물로 그려지고 있다.

이들은 당시의 우리의 자화상이기도 하였다고 한다. 그들의 용기있는 행동은 잠시 한때의 용기가 아닌 그들의 삶속에서 지속적인 미래의 희망을 품고 온몸으로 저항하던 70년대 세대의 전형적인 아이콘들이다.

따라서 그들의 이야기는 긍정적인 시각으로 우리에게 희망과 용기를전해준다.특히아직도아물지않고있는상처의아픔으로 고통을 받고 있는 이들에게 마음속으로라도 쾌유를 빌어주어야 한다고 생각한다.

끝나지 않은 자신과의 싸움은 오로지 자신들만의 아픔이 되지 않고 모두가 보듬어 갈수 있는 상처가 되길 바란다. 주인공은 끊임없이 자신을 채찍질하며 스스로에게 냉철한 이성을 통해 자아성찰을 하고 있다. 이로서 스스로의 행동에 책임을 지려는 모습과 자신과의 약속을 정년퇴임까지 기자고 가고자 노력하는 모습에서 존경심마저 든다. 안탄까운일이지만 현실은 결코 만만하지 않았고 자기의 이익에 우선 배당을 하는 사람들로부터 퇴임식의 마지막까지 올곧은 세상을 만들고자 하는 민수의 진심 어린 마음을 끝내 외면한채 민수에 대한 한마디의 수고했다는 말조차 없었던 현실적 교육현장의 삭막함이 마음을 아프고 저미게하였다. 참으로안타까운현실이었다.

그러나 민수의 그해 겨울은 많이 힘들고 아팠으나 그조차 세월의 시간이 지나고 그리고 봄이오면 민수의 트라우마와 마음의 상처가 아물것이라고 작가는 말하고 싶어한다 .스스로에 게 최선을 다하고 불의와 부정에 맞서는 민수는 독재정권에 맞설 때도 목숨을 걸고 싸웠다.

그는 우리의 젊은 지성인들의 본분과 역할을 중요시 했다. 그들이 이 시대에 미치는 긍정적인 영향을 강조했다. 미래에 대한 희망과 긍정적인 에너지를 유지하고자 하였다. 어떤 어려움에도 굴하지 않는 강인한 정신력을 갖추는 것을 강조했다. 민수는 어린 시절 가난과 차별로 고통 받았지만, 꿈을 포기하지 않았다.

그의 끈기와 열정, 용기와 희생은 독재정권하에서도 온몸으로 맞서 싸웠다. 이들은 교육 현장의 부정과 부패가 만연한 시대에서도 학교변화를 추구했다. 수혜와시아는 민수와 결혼하고자 했지만, 그녀들은 민수의 마음속 아픔을 깊게 알지 못했다.

그러나 민수의 뜻을 알고 있기에 그들은 민수가 교사로서 올곧은 신념에 따라 사명을 다하도록 지지하고 곁을 유일하게 끝까지지켜준 교육동지였다. 그들의 이야기는 사랑과 우정과 그리고 희생의 의미를 상기시켰다. 또한 정치권력의 독재에 대한 저항과 사회적 부정과 부패로 얼룩진 환경을 변화시키는 용기와 추진력을 보여준다. 작가는 어려운 시대 속에서도 희망과 긍정을 잃지 않고, 자신의 역할을 찾아 가며 사회에 기여하는 것이 중요하다는 메시지를 독자에게 전달했다.

또한 우리에게 사랑과 희생의 의미를 상기시키며, 끊임없는 새로운 희망을 전해 준다. 비록 젊은날은 지나갔지만, 미래를 기대 할수 있는 새봄과 같은 희망적 마음이 필요하다고 보았다.

자기의 강화를 통해 어떤 어려움에도 굴하지 않는 강인한 정신력을 갖추고자 하였다. 봉사활동을 통해 다른이들을 도우며 나눔의 가치를 실천하고자 하였다. 70년대 세대들은 진실과정의를 위한 목소리가 되어야 한다. 우리는 아무리 험난한 시대에서도 서로에게 힘이 되어줄 수 있어야 한다.

이제는 젊은날의 뒤안길에서 미래의 희망을 기대하며, 우리의 역할을 찾아 나서야만 된다.

민수와 수혜 그리고 시아 모두는 언젠가 모두의 마음속에 매서운 한겨울인 그해 겨울이 지나면 그리고 봄은 민주주의의 희망으로 올것이라는 믿음을 갖고 있다. 추었던 그해 겨울 훗날 기쁜날로 아름답게 기억하게 될 것으로 생각한다.

퇴임식 날 민수는 국가로부터 오랜 교직생활에서학교 민주화와 참된 교육실천에 기여하고 아이들 사랑을 몸소 실천한 모범적 사례가 인정되어 교육부문 대통령 표창인 대통령 훈장과 함께 교감으로 특별승진되었다.

하지만 또다른 새로운 삶을찾아 긴여정을 떠날 채비를 하고 있다 독자에게는 긍정적 에너지와 아름다운 기억을 간직한 채 미래의 희망적인 이야기로 소설의 대단원의 막을 내리게 된다.

앞으로도 군사반란이나 또 다른 형태의 쿠데타가 일어나지 않는다고 누가 장담할 수 있는지는 아무도 없다. 현대판 쿠데타는 무기가 아닌 국민갈라치기와 국민을 대상으로하는 분열책동 또한 국민적 염원을 파괴하는 정책과 립싱크용 언변의 쿠데타라고 할 수 있다.

우리 현명한 국민들과 젊은 지성인들의 항상 깨워있는 정신을 가지고 있어야 한다. 국민갈라치기와 분열책 동과 전쟁유발 등에 대해서는 촛불시위와 같은 국민의 근엄한 목소리로 그들에게 경종을 울려줄 필요가 있다.

국민의 지성에 대해한치도의심여지가없는국민화합을위해정책과 북풍이나 국민의 목소리를 외면하고 자신들의 계파적 이익만을 위해 다수의 국민의 염원을 저버리는 행위는 쿠데타와 같은 행위라고 볼 수 있다.

우리 국민들은 정치권을 감시하고 감독하며 국민의 뜻을 저버리는 어떠한 정책 등에 대해 촛불 시위와 같은 따끔한 채찍으로 경종을 울릴 필요가 있다.

광주민중항쟁에서 시민군이었던 100여명은 도청의 마지막 죽음을 앞두고 당당히 맞서고자 했던 그들의 뜻을 우리는 기릴 필요가 있다. 우리는 현재 앞으로도 두 번 다시 광주민주 항쟁이 어떠한 형식으로든 유발되서는 안 될것이라고 본다.

1980년 5월 27일 전남도청 유혈진압에 대해서는 '광주 시위가 타지역으로 확산되면 정권 장악'이라는목적달성이어려울것으로 판단한 신군부가 자행한 내란목적살인'이라고 규정했다.

신군부가 '5.17 내란'을 일으켰고, 광주시민들은 이를 저지하기 위해' 5·18 민주화운동'으로 용기있게 맞섰다고 본것이다. 헌법기관인 대통령과 국무위원들에게 위협을 가해 '그 권능 행사가 불가능한 상황'에서 헌법을 수호할 최후의 수단은 국민들의 결집된 저항일 수 밖에 없다.고 법원은 최종 판시하고 비상계엄을 선포한 정권에 대해 사명을 판결하였다.

27일 새벽 신군부의 내란에 반대해 결집했던 광주 시민들은 '헌법기관에 준하여 국가가 나서서 보호해야 할 대상'이었다. 그리고 광주 시민들의 저항 행위는 국헌을 문란하게 하는'내란행위'가 아니라 신군부의 내란행위를 저지해 '국헌을수호하기위한 정당한 행위'로 평가 했다. 대법원은 27일 새벽 전남도청과 광주 시내 일원에서 벌어진 계엄군의 발포 행위에 관련된 책임자 5명을'내란목적 살인죄'로 처벌했다. 당시 보안사령관 전두환, 육군참모차장 황영시, 특전사령관 정호용, 국방부장관 주영복, 계엄사령관 이희성 등이 바로 그들이다.

또 대법원은 27일 새벽 광주 재진입 작전은 신군부 지휘부가 도청의 무장 시위대를 제압하는 과정에서 저항하는 시민군과의 교전이 불가피해 필연적으로 사상자가 발생할 수밖에 없다는 사실을 잘 알면서도 작전을 강행하도록 명령한 것은 살상행위를 지시 내지 용인한 것이라고 판시했다. 이 작전에는 '발포명령'이 포함되어 있다는 점도 분명히 했다.

당시의 계엄과 군대투입에 대한 미국의 의중과 결정 그리고 미국의 속내를 우리는 냉철한 이성으로 볼 필요가 있다. 단지 혈맹이기에 무조건적인 깊은 믿음과 신뢰에 대해서는 상당히 위험한 생각과 이념적 사고라고 본다. 과거 미국이 우리에게 전작권을 행사했던 시기와 제반 농축산물 수입개방과 FTA 등에서 보면 그러한 연유를 알수 있다 .

결국 전작권을 가진미국은 강대국으로 세계의 모든전쟁을 수행 할 수 있는능력을 가진 국가임은 틀림없다. 하지만 그러한 이면에는 그들이 투자하고 결정하는 과정에서의 기준은 철저한 자국의 이익이 우선시 된다. 극단적 예로 협약이나 협조 또는 후진국이나 개도국에 대한 군사적 개입에 있어 그 국가의 국민의 죽음에 대한 예방이나 진심이 담긴 인간애는 애초에 없었기에 더욱이 많은 광주시민의 사망이 있었다고 보았다..

6월 항쟁에서는 일부 신군부의 군대 이동을 일부 허가하지 않았지만 그 이전에 광주 항쟁시에는 신군부의 군사개입과 군대이동 및 비계엄화 지역의 진압에 대해 모든 동의와 허락을 함으로서 한국민의 엄청난 사살자를 내는데 그 책임을 면할 수는 없다는 사실을 잊어서는 안된다.

광주항쟁에서 동의한 군사진압 작전에서 많은 사상자에 대한 비판여론으로 6월항쟁에서는 일부 거부하였다고 하여서 그들의 책임이 면해지는 것은 아니기 때문이다.

신군부와 미국간 어떠한 협상이있어자국민을살해하고자하는데 동의를하였는지는알 수가 없다. 하지만 광주항쟁에서는 계엄군의 뜻을 수락하여 한국민의 진압을 허락하였다. 이날 오후, 백

악관에서 열린 국가안전보장회의 고위정책조정위원회(PRC)는 일본 오키나와에 있는 조기경보기 2대와 필리핀 수빅만에 정박 중인 코럴시 항공모함을 한국 근해에 출동시키기로 결정하였다고 한다.

5월22일 미국 국방성 대변인 토마스로스가 발표한 성명에서 토마스로스 대변인은 "존 위컴 주한 유엔군 및 한·미연합사령부 사령관은 그의 작전 지휘권 아래있는 일부 한국군을 군중진압에 사용할 수 있게 해달라는 한국 군사정권의 요청을 받고 이에 동의했다"며" 지금까지 북한군이 한국의 현상황을 이용하려 한다는 움직임이나 증거는 발견하지 못했다"고 밝혔다.

한· 미연합사의 작전통제권 이양은 미국은 이미 1980년 5월 16일에 20사단의 작전 통제권을 한국군에 이양하였다.

1980년 5월16일, 육군참모총장 이희성은 존.A.위컴 한·미연합 사령관에게 "소요사태악화에 따라 수도권 질서유지를 위하여 20사단 전작통제권 이양을 요청"하자 연합사령관은 요청전문을 접수했음을 확인한 후"귀하의 요청을 승인한다(Your request is ap proved)"는 승인 문서를 한국군에 전달했다.

미국은 또한 신군부가 20일에는 20사단을 원래의 목적이 아닌 '광주소요를 진압하기 위해 광주로 보내도 되겠느냐'며 한미연합사에'부대 이동에 관한 문의'를 하였다. 이에 위컴은 '워싱턴에 있는 상관들과 협의 후 동의(agreed)한다는 허락의 회신을 보냈다.

5월23일, 육군참모총장은 한·미연합사령관에게 "소요사태 확대에 대비, 광주지역 질서 유지를 위해 5월 23일 12:00부로 33

사단 1개 대대의 작전통제권 이양을 요청하는 부대사용 협조문"을 보냈다. 그러자 연합사령관은 즉각 "승인"한다는 전문을 합참의장과 육군참모총장에게 보냈다.

이에 따라 33사단 101연대 제2대대는 23일 12시25분에 성남 비행장에서 광주투입 작전 대기상태에 들어 갔으나 광주에는 투입되지는 못했다.

당시 미국은 전작권을 가진 당사자로서 광주민중항쟁에 대한 최소한의 책임이 있으며 책종 계엄군이 요구하는 모든 진압 및 자국민을 살육할 수 있는 개연성을 알면서도 신군부의 요구를 모두 동의하여 허락한 사실은 결코 그 책임을 면할 수는 없다고 본다. 그것이 비록 혈맹국이라는 미명하에 저질려진 엄청난 사실이나는 것이다.

혈맹의 미국이 한국민 군부가 자국민을 살육하고자 하는데동조하였다는 사실은 결코 책임선에서 벗어 날 수 없다는 사실을 증명한 것이다.

하지만 우리 정부는 이에 대한 항의를 전혀하지 않았다. 미국 행정부가 남침의 징후가 전혀 없었는데도 '광주사태가 더 격화될 경우 남침할 수도 있다'는식의 경고를 계속한 것은 일반국민이 5·18 민주화 운동을 불안하게 생각하도록 분위기를 조성함으로써 광주를 정치적으로 고립시키고 무력 진압을 정당화하는데 큰 영향을 미쳤다.

미국은 12·12 쿠데타 이후 신 군부가 1980년 5월 17일 비상계엄 전국 확대를 통해 국회 해산, 비상 기구 설치등 내란을 일으켜 정권을 장악하려는 시도를 직·간접으로 지원·옹호했다.

또한 신군부의 불법적인 내란에 저항했던 광주시민을 진압 하기 위해 자행한 학살을 방조 혹은 묵인했다는 비판도 면할 수 없다.

이처럼 미국조차 계엄군의 편에서 모든 조건을 수락한 부분에 대해서는 한국민의 한사람으로서 심히 유감스러운일이다. 그들은 자국의 국민이 단 한사람이라도 사상자가 생기면 결코 가만두지 않고 반드시 보복을한다.

'라이언 일병 구하기'의 영화는 대표적인 강대국의 성향을 보여주는 예로 볼 수 있다. 하지만 그들이 소위 도와주고 있는 국가의 국민의 사상자에 대해 서는 심할 만큼 관대하다는 사실을 냉철한 이성으로 볼 수 있어야 된다.

오히려 미국이 북한 개입설을 유언비어로 날조한 부분과 일치한다고 할 수 있다. 총선과 대선에서는 서로 앞다퉈 광주에 가사 광주민주화운동에대한 헌법수록여부에 대해 립싱크용으로 말하는 부류가 어느 쪽인지 분명히 알아둘 필요가 있다.

돌아오면 잊어버리는 일이 정치권에서도 없도록 우리 국민 들이 합리적 의심과 정치권의 구애같은 립싱크용 발언과 약속을 진실과 거짓사이에 판별 할 수 있어야 한다.

그날 도청에 남은 마지막 시민군을 우리는 다시 한번기억해야 한다. 그들의 죽음을 욕보이는 집단과 권력이라도 반드시 응징하여 정치적으로 살아남지 못하게 하는 역할은 현명한 국민과 합리적 이성을 가진 사람만이 가능 할 것이라고 의심치 않는다.

이처럼 광주항쟁은 그 전모가 일부 밝혀졌다. 도청의 최후 15
0여명은 스스로 죽음을 두려워하지 않았다. 그들은 계엄군에 의
해 모두 전멸하며 사망한다.

당시 시민군 대변인이었던 윤상원과 그를 야학과 민중으로 이
끈 박기순의 애뜻한 사랑과 투쟁에 대한 이야기속에는 함께 투
쟁 동지로 행동하였던 두 남녀의 투쟁속에 죽음을 초월한 시민
군 대변인인 윤상원열사에 대한 두 사람의 영혼 결혼식을 치려
준 것으로 그 명목을 빈다.

지금도 함께 무덤속의 두 주인공중 윤상원열사(1950~1980)
와 박기순은 윤상원은 광주 광산구 천동 마을출신으로 전남대
졸업 후 박기순열사의 설득으로 들불야학에도 참여 하였고, 광
주 민주화운동 당시 '민주투쟁위원회'의 대변인(시민군 대변인)
으로 활동하였다.

영화 '화려한 휴가'에서 보듯이 계엄군이 도청에 남아있던 모
든 시위군을 전멸시키기 위해 계엄군이 재 진입을 할 때 시민
군은 반드시 필패 할 것이란 것을 알면서도 도청에 남아 그들
150여명 모두가 항복하지 않고 죽음을 택했다.

그는 1980년 5월 27일 최후까지 전남도청에 남아 계엄군과
싸우다가 본관에서 총상으로 사망한다. 그는 전날 국내외 취재
진에게 시민군 대변인 윤상원은 도청에 남아 있던 150여명 시
민군을 대신하여 죽음 전날인 5월 26일 외신회견에서 일성한
다.

"오늘 우리는 패배할 것이다!

　　　그러나 내일의 역사는,

　　　　우리를 승리자로 만들것이다!."

　"비록 우리 시민군들은 왜 우리가 스스로 죽음을 받아들이고 끝까지 항전하고자 하였는지를 반드시 후대에 알려주기를 바랍니다!" 라고 말하며 최후까지 싸울것임을 천명하였다. 하지만 계엄군에 의해 모두가 그들의 말대로 전멸하게 되었다.!

사랑도 명예도 이름도 남김 없이

한 평생 나가자던 뜨거운 맹세

동지는 간데 없고 깃발만 나부껴

새 날이 올 때까지 흔들리지 말자

세월은 흘러가도 산 천은 안다

깨어나서 외치는 뜨거운 함성

앞서서 나가니 산자여 따르라

앞서서 나가니 산자여 따르라

높은산 깊은 골적막 한 산하

눈 내린 전선을 우리는 간다

젊은 넋 숨져간 그 때 그 자리

상처 입은 노송은 말을 잊었네

전우여 들리는가 그 성난 목소리

전우여 보이는가 한맺힌 눈동자

높은산 깊은 골 적막한 산하

눈내린 전선을 우리는 간다

젊은 넋 숨져간 그때 그 자리

상처입은 노송은 말을 잊었네

전우여 들리는가 그 성난 목소리

전우여 보이는가 한 맺힌 눈동자

다음은 문재인 대통령' 5·18 민주화 운동에 대한 담화문의 일
부이다

존경하는 국민여러분!

'임을 위한 행진곡'은 단순한 노래가 아닙니다.

오월의 피와 혼이 응축된 상징입니다.

5·18 민주화 운동의 정신, 그 자체입니다.

'임을 위한 행진곡'을 부르는 것은

희생자의 명예를 지키고

민주주 의의 역사를 기억하겠다는 것입니다.

오늘 임을 위한 행진곡의 제창은

그동안 상처받은 광주정신을 다시

살리는 일이 될 것입니다.

오늘의 제창으로 불필요한 논란이 끝나기를 희망합니다.

 우리의 그해 겨울 그날의 슬픔은 가고,

그리고 봄은 그렇게 다시 우리 곁에

자유 민주주의인 희망으로 왔다.

민수의 퇴임 식이 끝날 무렵

민수에 대한 학교 민주화와 참교육 실천을

실천한 공로와 학사운영의 효율화 그리고

학습 기자재 선진화 활용을 보여준

모범적사례가 인정되어 교감으로 특별승진과

함께 대통령 표창의 교육부문에서

대통령 훈장을 수여받았다.

그리고 작가는 소설 '그해 겨울 그리고 봄'에 대한

대단원의 막을 내리며 끝낸다.

어느덧 퇴임날 창밖에는

　　　함박눈이 대지 위에

　　　　　소복이 내려 퇴임식을 축하해 주었다.

　광주 민중항쟁은 계엄군 뜻대로 시민군인 자신들이 지켜야 할 국민들을 총칼로 무자비하게 진압하여 전멸시킨다. 영화 화려한 휴가에서 마지막 장면의 영혼 결혼식에서 불리진 '임을 향한 행진곡'과 서울의 봄의 마지막 장면을 보면 '전선을 간다'의 군가가 비장한 목소리로 흘러 나오며 마지막 영화의 대단원의 막을 내리게 된다.

　본 작품구성으로는 '그해 겨울 그리고 봄'은 추운 겨울에서 따뜻한 봄으로 넘어 가는 계절적 변화를 배경으로 주인공의 성장과 변화를 그린 작품입니다.

　주요 구성을 살펴보면 서론으로 주인공 소개 및 배경설정과 주인공이 겪고 있는 어려움과 갈등으로 구성되어있으며 본론에서는 주인공이 마주하는 다양한 도전과 문제들 그리고 주인공이 어려움을 극복하기위해 노력하는과정을 통해 주인공의 성장과 변화를 보여 주는 주요사건들이 벌어지는 상황을 그렸습니다. 마지막 결론구성에는 주인공이 성장을 이루고 새로운 출발을 준비하는 모습과 이야기의 주요 갈등이 해결되는과정으로 작품의 구성을 하였습니다.

작품의 후기로는 주인공 민수가 새로운 시작을 맞이 하며 느끼는 감정과 다짐이 담겨 있습니다. 주인공은 겨울의 끝자락에서 얻은 교훈과 성장을 토대로 봄을 맞이하며 더 나은 미래를 향해 나아가겠다는 의지를 보여줍니다 이장면은 독자들에게 희망과 용기를 주는 마무리로 주인공의 여정이끝이 아니라 새로운 시작임을 암시합니다.

이 소설은 추운겨울을 이겨내고 따뜻한 봄을 맞이하는 과정에서 주인공이 겪는 성장과 변화, 그리고 희망을 중심으로한 메시지를 독자에게 전달하고자 하였습니다.